中公文庫

デルフィニア戦記

第Ⅰ部　放浪の戦士１

茅田砂胡

中央公論新社

目 次

序章 —— 9
1 —— 12
2 —— 35
3 —— 62
4 —— 96
5 —— 153
6 —— 198
7 —— 223
8 —— 276
9 —— 326
10 —— 345
11 —— 365

解説　北上次郎 —— 375

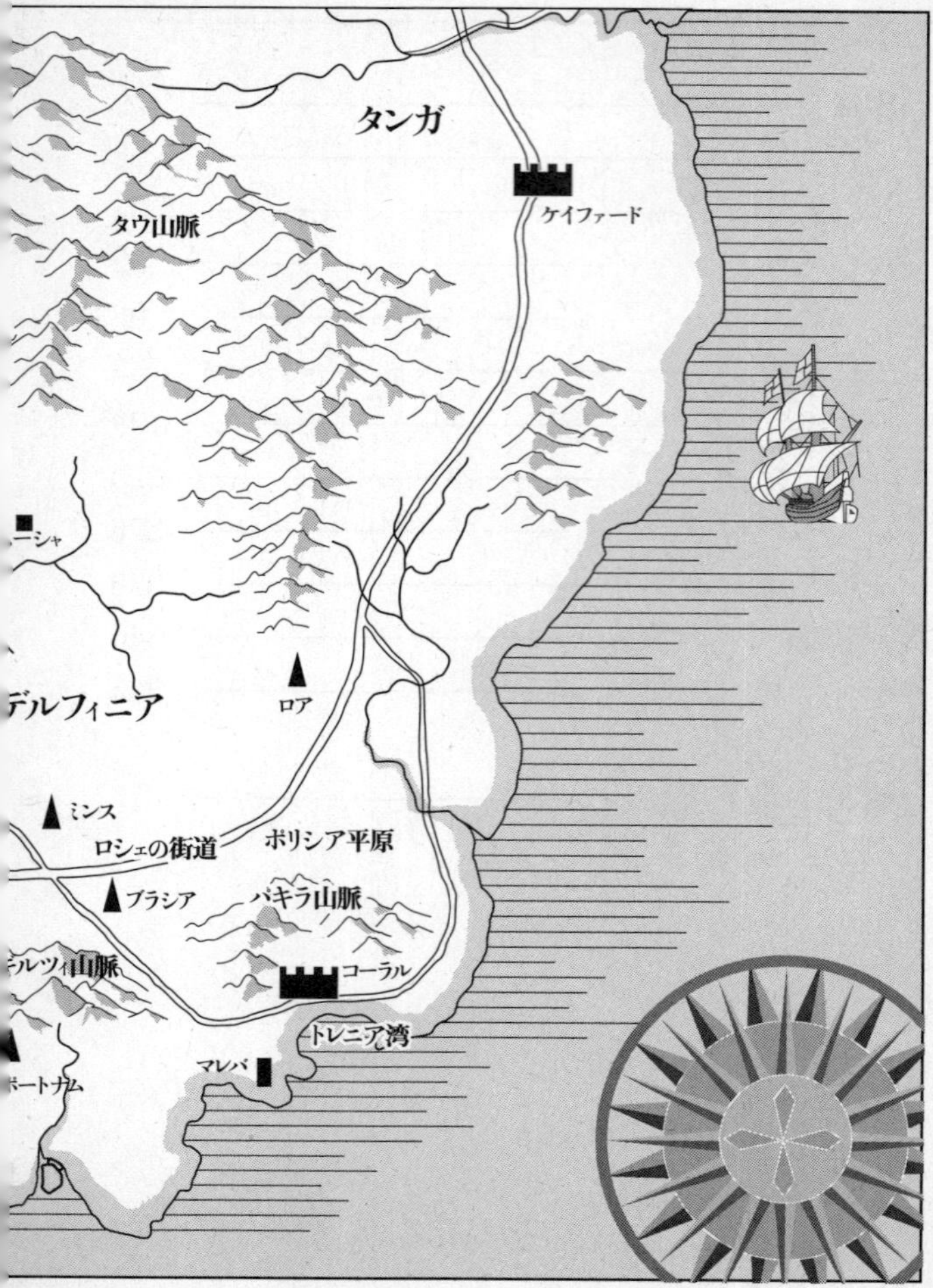
タンガ
ケイファード
タウ山脈
ーシャ
デルフィニア
ロア
ミンス
ロシェの街道
ポリシア平原
ブラシア
パキラ山脈
ルツィ山脈
コーラル
トレニア湾
マレバ
ポートナム

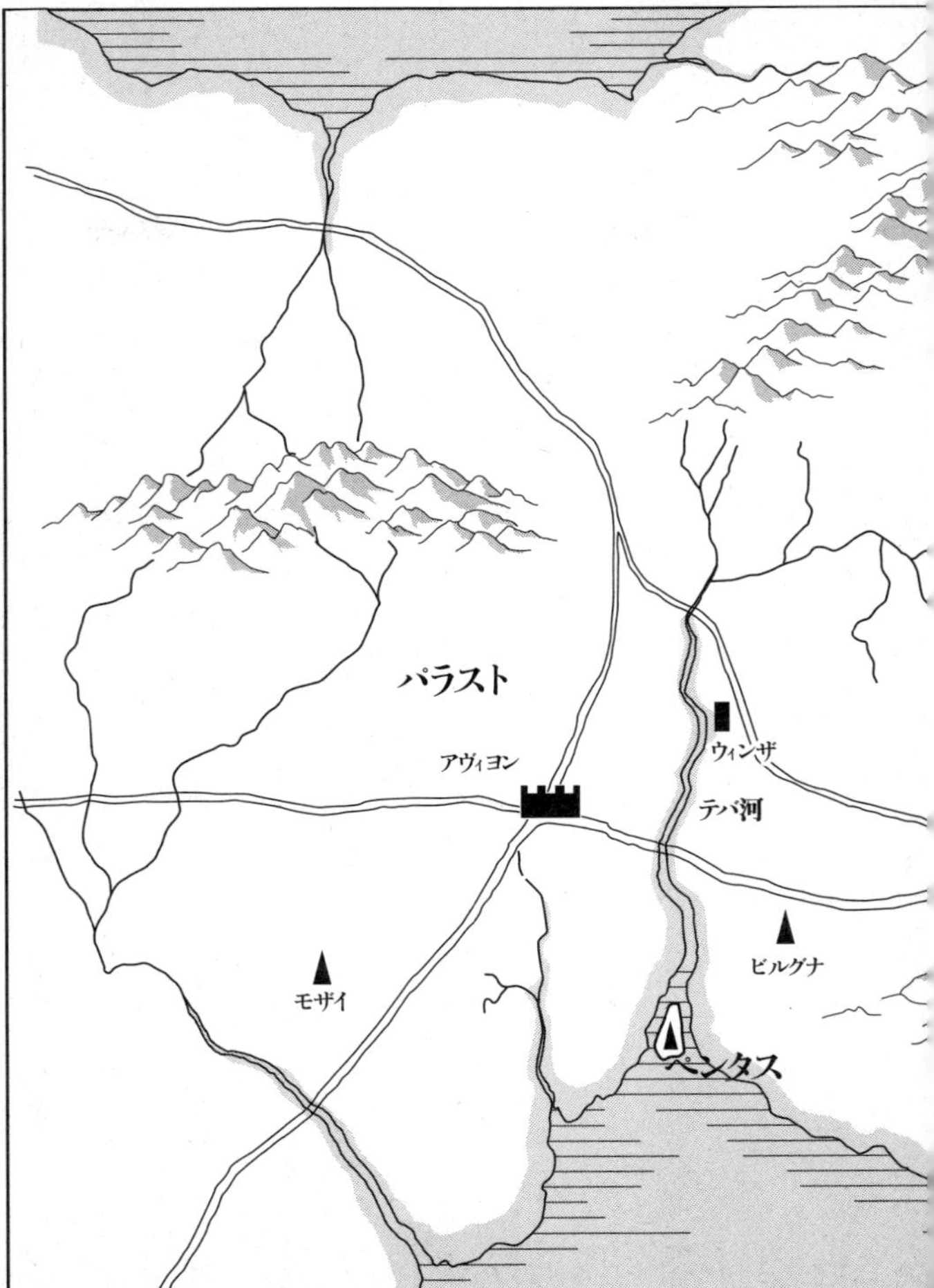
パラスト
アヴィヨン
ウィンザ
テバ河
ビルグナ
モザイ
ペンタス

地図　美柑和俊
DTP　石田香織

デルフィニア戦記　第Ⅰ部　放浪の戦士1

序章

夢を見ていた。

幼いころの夢だった。

どこまでも続く原野と、冷たく頬を切る風。

豊かな毛皮と、鋭い牙と、長い尾の友人たち。

見比べると自分がひどくみすぼらしい姿に思えていやだった。牙も尾も毛皮もない。

どうしてかと訴えると、立派な黒い毛皮の父親は、大きな口を開けて笑ったものだ。

おまえは二本足の獣だから、と。

もっと大きくなったら自分にも尾が生えて牙が生えて四本足で走れるようになるかと訊くと、父親は、おまえはずっと二本足のままだと言った。

つまらなかった。きれいな線を描く仲間たちの体がうらやましくて仕方がなかった。

それでも仲間に負けずに走ることはできたし、獲物を狩ることもできた。父親も、おまえは今のままがいいと言ってくれたが、気分は晴れなかった。

仲間に比べると自分の姿はどうしても不格好だとしか思えなかったのだ。がっかりすることはないと慰めてくれたのは、ただ一人の二本足の友人だった。

自分も含めて二本足は好きではなかったし、不格好だとも思っていたが、その友人だけは別だ。

父親と同じ豊かな黒い髪、海の色の瞳。いつも優しいきれいな友達は、二本足には二本足にしかできないことがあると言って、手を使っての戦い方を教えてくれた。手に何かを握って戦うというのはそれまで考えたこともなかったが、友人の教えてくれる剣の動きには興味を覚えた。五歳の時には短剣を握り、八歳の時には今の剣を握っていた。戦うことは好きだったし、強くなるのは楽しかった。

緩やかに伸ばした体の下に、ふっくらとした地面があるのを感じている。投げ出した手足をやわらかく萌えた草が受け止めている。眼を閉じていても暖かい陽光が全身に降りそそぎ、甘い花の香りを含んだ風が頬を撫でるのがわかった。快い眠気に身を任せながら、ぼんやりといぶかしく思う。

今は冬のはずだ。

枯れた原野を風雪が白く染めあげているはずだ。空は重く、太陽はもっと弱々しく頼りなくあるはずなのだ。

それなのに今の自分は大の字に横たわった全身で、濃厚なまでに甘い香りと暖かい空気を感じている。

こんなはずはない。

北の原野に咲く花はもっと涼やかで、ひんやりと氷にも似た厳しい香りがする。

雪があるのに、こんなにやわらかく草が萌え、花が開いているはずはない。

これは夢なんだ。

春になった夢を見ているんだ。

半ば以上眠りに落ちたまま、無意識に左手を動かし、腰の辺りを探ってみる。

堅い金属が手に触れた。

現実の感触だった。

とにかく身を守る武器を身につけていることだけは確からしい。

それなら何も恐れることはないのだ。

もうしばらくすれば、あの二本足の友人が起こしに来るだろう。

安心して、たとえようもなく心地よいこの夢に身を任せることにした。

1

その男は、絶体絶命の窮地に立っていた。

呼吸は荒く、振り向いた眼は険しく、剣を握る手にも足取りにも余裕がなくなっている。黒い髪は乱れ、日に灼けた逞しい長身のあちこちに返り血が飛んでいる。

これを襲撃している敵はといえば、実に十人もの集団だった。それも相当に手強い。剣を取る手つきにも実際の戦闘にも、かなりの年季が入っている。皆、一言も発せず、殺気を噴き上げて男の退路を断とうとしている。

物取りにしても、遺恨ざたにしても、恐ろしく大胆な所業だった。人気《ひとけ》のない野道とはいえ、春の陽はまだ中天にある。どこで誰に見られないとも限らないのだ。

それがわかっているのかどうか、襲撃者の群れは男を逃がさぬように牽制しながら、神経質なまでに辺りに気を配っている。

しかし、今しも斬って倒されようとしている男の技倆は並々ならぬものだった。

この曲者たちは実に十五人以上もの大人数で襲いかかってきたのだ。並の剣士ならば一瞬で物言わぬ骸になるところを、孤軍奮闘し、五人を返り討ちにし、一度は包囲を抜けたのだから、たいへんなものである。

男は旅姿だった。それも長距離を旅してきたらしい。豊かな長身を覆う革の衣服も外套も、だいぶ傷んでいる。

年は若い。二十代の半ばくらいだ。

その見事なまでの剣の冴えと実用的な衣服からすると、さしずめ仕える相手を転々と変える傭兵稼業で食べている者のようだった。

その一人を、卑怯にも大勢で取り囲んで殺そうとしている連中はといえば、皆、鎖帷子《かたびら》に紋様入りの長上衣、簡易の兜、手袋、飾りのついた長靴、手にした剣も腰帯も揃いの拵《こしら》えである。

これはならず者どころではない。流浪の自由戦士でもない。れっきとした城塞か、もしくは貴族の館に仕えている従騎士の身なりそのものだ。

面妖なことである。

何の理由もなしに、白昼堂々、主人持ちの騎士たちが一介の自由戦士に襲いかかったりするはずがない。

日も暮れた人里離れた山道で、野盗の群れが旅人の懐中を狙って襲いかかるのとはわけが違うのだ。こんな卑怯卑劣な行為に手を染めては、騎士たる者の名誉も誇りも地に堕ちるはずだった。

激しい斬りあいの野道の隣は一面の花畑になっていた。丈の低い花ではない。大人の脚まで埋まるほどの高さがある。薄い黄色の花が陽光を受けて満開に咲き開いている。

追いつめられた男は、この花畑へ逃げ込んだ。

囲まれるのを避けるためにはそこへ逃げるしかなかったのだ。鮮やかな黄色の中を、地味な色の外套が走る。

「逃がすな！」

何といっても数の優勢は圧倒的だった。襲撃者どもは花を蹴散らして進み、たちまちぐるりと男を包囲してしまったのである。

振りきれないと悟った男は足を止め、刺客の一団を眺めまわした。

少しでも息を整えようとする。追いつめられながらも、男の態度は落ちつき払ったものだったが、もはやこれまでと思ったに違いない。

正眼《せいがん》に剣を構えなおし、一人でも多く道連れにする覚悟で、刺客の一団に相対した。

合計十本もの抜き身の刃がずらりと揃い、一人の男に向けられる。可憐な花畑には不似合いな不吉な輝きが、一斉に男に向かって走り寄った。

一人か二人は倒せてもそれまでだ。残りの刃は必ず男を切り裂くに違いない。

孤立無援の男が曲者の凶刃に殪《たお》れようとした、まさにその時。

男の目前、花畑の中から、誰かがむくりと頭を起こしたのである。

背の高い花畑の中で昼寝でもしていたらしい。

男は驚いた。

刺客の一団も驚いた。

一番驚いたのが、花畑の中で眠りこけていたらしい人影である。
十二、三くらいの少年だった。
小さな体を風変わりな袖無しの上着に包み、帽子の代わりか白いきれで頭を包んでいる。

眼の前で何が起こっているのか、わからなかったに違いない。花畑に座り込んだまま、あっけにとられた表情で男たちを見つめている。

「危ない！　逃げろ！」

殺されそうになっていた男が叫んだ。

はたして目撃者さえも残すまじとしたのか、刺客の一人が別の一人に目くばせした。片づけろ、という合図だった。

その刺客も頷き返して、まだしゃがみ込んだままの少年に殺気をこめて走り寄った。

ひとり戦っていた男は、我が身を顧みずこれを助けようとしたが、曲者はそうはさせない。横合いから他のものが素早く前に回り込んで行く手を遮った。

男が怒声を上げる。

「なんの罪咎もない子どもまで殺す気か!」

憤怒の叫びだった。こんな子どもが己の犠牲になることへの悲痛な叫びだった。

しかし、とても助けられない。

曲者は剣をかざしながら容赦なく少年に襲いかかり、斬り伏せた。

いや、正確には斬り伏せようとしたのだ。

大上段に振りかぶった刃は、ぴたりと少年の頭を狙っており、誰が見ても次の瞬間には小さな体が血に染まって倒れると見えた。

ところがだ。

曲者の剣が少年の頭に振りおろされた時には、もうその姿はそこにはなかったので

い。

少年は地面に腰を下ろしていたのだ。逃げるにしても視界の外まで動けるはずがない。

「ばかな！　どこへ行った！」

曲者たちも男も眼を疑った。

「なにっ！」

ある。


慌てる曲者の頭上で、ぴかっと刃が光った。

おそらくその男は自分の身に何が起こったかを察することもできなかったに違いない。

困惑の表情を未だ顔に張りつけたまま、ぐらりと傾《かし》いで花畑に倒れ込んだ。倒れた男の体から毒々しい色が流れ出し、花畑を染めていった。

男たちは戦うのも忘れ、唖然としてその光景に見入ったのである。

一瞬の動作で宙高く飛びあがり、自分を殺そうとしていた曲者をあっという間に返り討ちにした少年は、無造作に剣をひっさげて立っていた。

剣を握った手と構えとが実にしっくりとなじんでいる。細い、頼りない少年の体なのに、その剣はすでに腕の一部になっているかのようだった。

何年も剣を扱っている熟練者でなければこうはならない。

人ひとり斬り殺しておきながら、その瞳には何の感情も浮かんでいない。

それどころか、今まさに斬りあいを始めようという男たちを不機嫌そうに見やり、鼻を鳴らしたのである。

「一人を相手に……ごお、ろく……十人？　呆れた話だ。どういう理由があるか知らないが、気にいらないな。おまけに問答無用でおれまで殺そうとするとはどういうことだ」

言い放ち、殺されかかっていた男を振り向き、悠然と声を掛けた。

これには男のほうが驚いた。ぽかんと少年を見つめてしまう。

「助太刀するぜ」

とても子どもの口調ではなかった。

助太刀すると言っても、戦えるような年齢ではないのだ。しかし、右手に握っているのは玩具の類の短剣ではなく、れっきとした戦士の使う長剣である。だがそれは、こんな歳の子どもには扱いかねる品物のはずだ。

話言葉と眼に受ける印象と右手の剣があまりにもちぐはぐだった。

少年のほうはそんな男を尻目に軽い足取りで踏み出していた。敵が密集しているところを目がけて無造作に近づき、あっという間に二人を斬り伏せたのである。

恐ろしいほどの腕の冴えだった。

信じられないような足の速さであり、獣のような身のこなしだった。

男にとっては突然の援護だったが、安堵するよりも我が眼を疑ったくらいである。

どう見ても十二、三の子どもが、大剣を片手に精鋭の騎士たちを斬りたてているのだ。

しかも強い。敵はさすがに踏みとどまり、数人がかりでこの少年を倒そうと必死になっているのに、倒れない。倒れないどころか、たった一人で互角の立ちまわりを演じているのである。

あまりのことに男は一瞬、今の状況さえ忘れて棒立ちになったが、そこはこの男も並々ならぬ剣士だった。即座に立ちなおり、剣を構えなおしていた。

「ご助勢、感謝する！」

味方を得た男の動きもまた、水を得た魚のごとくだった。防戦一方だった態勢から攻撃に転じ、縦横に剣を揮《ふる》った。

二対七の戦いだったが、旅の男と少年とは、たちまち五人までを斬って倒し、残る二人はとてもかなわないと思ったのか、仲間を放り捨てて逃げ出していったのである。

後に残されたものは無残に踏みにじられた花畑と、鮮やかな黄色を不気味に染める八つもの死体。

そして旅の男と剣を遣う少年である。

九死に一生を得た男は剣を拭って鞘に収め、息を整えながら、突然の味方を見やった。

動きを止めたところは、ごくまっとうな子どもに見えた。男の胸の下くらいにやっと頭がくる、小さな体である。

しかし、男はその小さな少年に対して、丁寧に礼を述べた。

「危ういところをすまなかった。礼を言う」

剣を収めた少年は辺りを見回し、首を傾げ、男をじっと見つめて話しかけてきた。

「きみ、ここの人？」

ますますもって珍妙な子どもだった。

大人に対する口のきき方くらい、この歳になれば知っているだろうに、まるで同い歳の友達に対するような口調である。

大きく男を見上げているその表情が固い。

「いや、俺もこの辺りにはあまり詳しくはない」

「教えて欲しいんだけど、ここ……、どこ?」

男は首を傾げた。

ずいぶん妙なことを訊くものだと思った。自分のいる位置を知らないというらしい。

少年は明らかに困惑していた。迷子というわけではなく、自分の位置を見失ってしまった。いるべきはずのところではなく、違うところに来てしまった。

そんな感じだ。

剣を下げているのだが、貴族の子弟という身なりではない。

無地の淡い藤色の布地で作った胴着を着て、同色の下穿きをはいている。大腿部はむき出しにして、足には革の短靴を履いている。

並外れて整った顔立ちをしていることに驚かされる。肌は薔薇色の大理石のようだし、深い緑の双眼はまるで宝石のようだ。

農家の子どもには見えないし、狩猟を生業《なりわい》としているわけでもなさそうだし、男はしばらく、その身状がどういう種類のものなのか、考え込んでしまった。

少年が首を傾げる。

「助けた代わりと言っちゃあなんだけど、どこなのか教えてくれないかな?」

「これは、すまん。そうさな。ロシェの街道からはだいぶ外れているが、モザイの近くだ」

「モザイ？」

男は驚いた。

どこから来たのか知らないが、服装からしてそう遠方でないことは明らかだ。それなのに、この辺りでは一番の大都市の名を知らないとは……。

「モザイはパラストの地方都市のひとつだ。セレネイとの国境にも近いからな。大きな城砦がある。このすぐ近くだ」

「パラスト？」

今度こそ男は驚愕の顔つきになった。

「何を寝ぼけたことを言っている！　中央を三分する大国のひとつではないか！」

今度は少年が驚いて男の言葉を遮った。

「ちょっと待ってよ？　まさか……。まさか、ここ、ボンジュイじゃないのか？」

「なんだその、ボンジュイ、というのは？」

男は真顔で聞き返した。他の人間よりも多少、多くの地理を頭に入れているはずの男の人生において、初めて聞く地名だった。

しかし、少年は眼を真ん丸にして叫んだのである。

「やっぱり違うの？　じゃ、どこだ！」

「だから、先も言ったがモザイの近くだ。パラストのもっとも西であり、中央の入口だ」

　少年は大きく呻いた。

　慌てて体のあちこちを探り始める。腰の剣を確かめ、頭に手をやり、衣服を撫でる。最後に両手を広げてみて、少年は絶望的な呻きをもらした。

「どうなってるんだ、いったい」

　少年が何を嘆いているのか男にはわからない。

　それよりも、もっと気がかりなことがあった。

　さっきの二人を逃がしてしまったのだ。ましてこの場には、花畑を毒々しい色に染めた死体がいくつも散乱している。急いで話しかけた。

「ここにいては危ない。おまえ、行き先は？」

「行き先？」

「そうだ。どこの子どもか知らんが、家が近くにあるならすぐに駆け戻って決して表に出るな。旅の途中だというなら一刻も早くここから立ちされ。さっきの連中が戻って来れば、必ずおまえをも狙うだろう。あ、だが、東には向かうな。できるだけ遠ざかるんだ。命を救ってもらったというのに、あいにく何の礼もできないが、せめてもの気持ちとして、これを受けてくれ」

男は懐を探り、銀貨一枚を取り出して少年に差し出したが、少年は手を出そうとしない。首を傾げて男を見つめていた。

「きみは？」

「なに？」

「きみの行く先は？」

「俺は……、東へ向かう。デルフィニアへな。行かなければならない」

「じゃあ、一緒に行く」

「おい！」

「行くあてはないんだ」

少年はあっさりと言った。

「だいたい、人に東へ行くなって言うからには何か危ないことがあるんだろう。なのに自分はそこへ行くって、どういうことさ？」

男はほとんど呆れて眼の前の少年を眺めたのである。

頭ひとつ分以上も小さい、頼りない姿だ。なのに、深く輝く緑の瞳がまっすぐに自分を見つめ返してくる。その真摯な光にたじろいだ。

「行くあてが、ないと?」

「うん」

「身寄りは?」

「ないよ」

男は、この相手をどうしたらいいものか、考えあぐねてしまった。

同行させることはできない。これからも今のような危険にさらされることは眼に見えている。

しかし、少年は血に染まった花畑を見回して、男を促したのだ。

「はやく逃げたほうがいいんじゃないのか?」

その言葉に我に返った。

少年の素姓も、これからどうするのかということも、とりあえず後回しだ。

「わかった。来い」

男と少年は急いで殺人現場を立ち去った。街道から離れた野原とはいえ、いつ何時、人に見られないとも限らないのだ。

しかも、少年はともかく、男は顔にも体にも返り血を浴びた、凄まじい姿である。

「さっきの連中、いったいなに?」

「俺も知りたい」

「生き残ったのが、また引き返して来るの?」

「おそらくな」

男は近くに馬を隠していた。

ひらりとまたがり、鞍の前に少年を乗せようとしたが、首を振って足を掛けようとしない。

「いい。走る」

「馬鹿を言うな。急いでここから立ち去らねば、命が危ないのだぞ」

「少なくとも、ぼくはその馬よりは速く走れる」

鞍の上で、男はひっくり返りそうになった。

この子ども、頭は確かかと思った。

一面開けた野原の向こう、遠くの丘の上に、木が一本立っているのが見える。

少年はその木をまっすぐ指さした。

「あの木まで、どっちが速いか競走しよう」

「おい。馬鹿を言ってないで早く……」

馬に乗れ、と言おうとした男だが、そのとたん少年は走り出していた。

「待て！」

男は手綱を取り、馬の腹を蹴った。

少し急がせただけで軽やかに走る少年に追いついてしまう。

男は馬上から、横を走っている少年を見下ろして声を掛けた。

「言わぬことではない。前に乗れ」

しかし、少年は走りながら馬上の男を見上げて、にこりと笑ったのである。

「鞭、持ってる？」

「おい、困らせるな」

「使ったほうがいいよ」

言うなり、少年の速度が、ぐん、とあがった。

「な、にっ！」

驚いたのは馬上の男のほうである。

上体を低く沈めたその姿が、みるみるうちに遠ざかり始めたのだ。

「ばかなっ」

思わず鞭を揮っていた。栗毛の馬もまた速度を上げる。

男を乗せた馬は全速力で疾走し始めた。馬蹄の響きが地を揺らし、激しく土煙を立てる。

男の頰を風が切る。景色がみるみる後ろに遠ざかる。

ところがだ。

それほどの勢いで馬を駆っているのに、前を走る小さな姿に、どうしても追いつけないのだ。

むろん、人の出せる速度ではない。

鹿か、狐か、四つ足の獣類でなければ出せないものだった。

そのときの男には、そんなことを考える余裕もない。よく吟味したはずの馬がここまであっさり置きざりにされることにひたすら驚き、汗だくになりながら、ひっきりなしに鞭を揮っていた。

小高い丘の上に立っている木がみるみる大きくなる。栗毛の馬は泡を吹きながら死に物狂いで駆けている。男も馬術のありったけを駆使して少年の後を追ったが、それでも追いつけない。

少年は地上を低く飛ぶかのような速度のまま、風が疾《はし》るように丘を駆けあがり、木のところまで一気に駆け抜け、大きく宙返りをして止まったのである。

「勝ちぃ……」

さすがに薄く汗を掻《か》いている。

男も続いて馬を止めた。馬は激しく動悸を繰り返している。

馬上の男は、まだあっけにとられていた。

白昼夢を見ている思いだった。

少年はそんな男の心中など知らぬらしい。白い歯をこぼして嬉しそうに笑っている。

「言った通りだろ？」

そう言われてもすぐには返答もできない。

馬より速く走って平気な顔をしている少年に、男はようやく疑惑というか、得体の知れないものを感じ始めていた。

「おまえの足は……どういうつくりだ。魔法でもかかっているのか？」

少年は首を傾げている。

「おかしい？」

「なに？」

「二本足のぼくが馬より速く走ったら、おかしいかな？」

「当たり前だ」

「じゃあもうやらない」

どういう意味かと男のほうが首を傾げた。少年は丘の反対側を見て嬉しそうな声を上げる。

「小川がある」

男も口元をほころばせて馬を下りた。

殺戮を切り抜けたばかりで喉は渇ききっていたし、衣服も手足も生々しい返り血に濡れている。手綱を引いて小川へ下り、馬に水を飲ませ、自身も喉を潤した。

まだ春になったばかりだというのに、夏のような強い日差しだった。全力疾走した少年にはその暑さが堪えたらしい。額の汗を拭っている。

「ちょっと体洗っていいかな?」

ここで水浴びをするつもりらしい。

たった今、生死の戦いを切り抜けてきたばかりだというのに、度胸のいいことだ。

「大胆な奴だな。素裸でいては応戦もできんだろうに」

男が呆れて言うと、

「そっちこそ体を洗ったほうがいい。血の匂いで、むせかえりそうになる」

もっともな話である。

しかし、この少年はどういう身状のものなのかと、男は再び首を傾げた。

見た目はいたって尋常に見える。しかし、大の男を軽々と斬って倒せる剣の腕を持ち、馬と駆け比べをして堂々と勝ちを宣言する足を持つとは、まともな人間にかなうことではない。

それは重々わかっていたのだが、男はそれ以上の詮索はしなかった。

少年は早くも靴を脱ぎ捨て、腰帯ごと剣を外している。

一応まわりを確認したが、人の気配はない。男も少年に倣《なら》い、剣を置き、靴を脱ぎ、下穿きまで脱ぎすてて全裸になった。

命を狙われているにしては大胆な振る舞いだが、血の匂いをさせているのはなおまずい。幸い着替えは馬にくくりつけてあったし、こんな天気に外で水浴びをするのは少しもおかしなことではないのだ。透き通った小川に踏み込んでいくと、膝の上まで水がくる。まだ冷たかった。

それがむしろ心地いい。

幾度も水をすくいあげて顔や体に飛んだ血を洗い流す。

「気持ちいい……」

近くで聞こえた声に、はじめて少年がいたことを思い出して振り向き、男は愕然と川の中で立ちつくしてしまった。

思わず眼を疑った。

ただし、先とはまるで別の意味で、である。

少年も男と同様、身につけているものをすべて脱ぎ捨ててまったくの裸体になっていた。頭を包んでいた白いきれも解いてしまい、両手で水をすくいあげて喉を潤し、顔をすすいでいた。

その顔のまわりには、当然、刈りこんだ短い髪があるのだと思っていた。

でなければ、うなじまでの巻き毛でもおかしくはないと思った。

貴族の子弟でない限り、この年頃の少年の髪型とは大概そういうものだからだ。

ところが、男の眼に入ったのは、波うちながら陽の色に輝く長い髪だったのである。

眼を射られるかと思ったほどの、純金の輝きにあふれた髪だ。

金髪の人間は何人も知っているが、これほど純粋な黄金の色の髪は見たことがない。

その髪が滝のように肌の上を流れて、淡く色づく白い太腿の辺りまでを鮮やかに彩り、飾っているのだ。

いや、そんなものより何より……。

男は呆然と問いかけていた。

「おい……」

「なに？」

「その、おまえ……」

「なんだよ」

「つまり……、その、いい娘が、そう肌をあらわにするものではない、と思うぞ」

「いい娘って、誰が？」

「おまえがだ」

少年、いや、金髪の少女は緑の眼を見張った。

「なんだって？」

男は呻いて顔を覆った。

「おまえ……、自分で自分が男か女かも知らないのか？」

少女はまだ疑わしげだった。

じっと男の顔色を見つめている。

その額に瞳の色と同じ緑の宝石が輝いているのに、男は気がついた。

髪どめを兼ねた銀細工の額飾りだ。

一瞥《いちべつ》しただけでも、相当高価な品だということがわかる。庶民の持てるものではないなと、ちらりと考えたが、少女のほうはまだ川の中で凝然と立ちつくしていた。

やがて、男が嘘も冗談も言っていないと悟った少女は、慎重なしぐさで全裸の自分の姿を見下ろし、愛らしくふくらんだ胸もとに手をやり、

「ええ……?」

眼を真ん丸にしたのである。

「なんだあ、これ⁉」

2

中央地域の春の陽が沈む。

男と少女はなだらかな野道を歩き続けて、今は川沿いの森の入口で、焚火を囲んでいた。

焚火には皮を剝《は》いだうさぎの肉が掛けられ、香ばしい匂いを立てている。

このうさぎは少女が狩った。男は金を出して近くの農家から食料を分けてもらおうとしたのだが、少女が止めさせたのだ。

「命を狙われてるんなら、あまり人前に出るようなことはしないほうがいい」

というのである。

「もっともな話だが、獣を狩るための弓矢も罠も持っていないのだぞ」

「いらないよ、そんなもの」

その言葉通り、少女は男から借りた短剣を投じたのみで、獲物を倒したのである。

一流の猟師でも、これほど鮮やかな手並みの真似ができるかどうかといぶかしむうちに、かまどにする石を拾い集め、これも器用に短剣を使い、慣れた手つきでたちまちうさぎをさばいて、火にくべてしまった。

今、風変わりな少女は暗がりに赤々と燃える炎を見つめながら両手で頬を包み、苦笑を浮かべている。

「さすがに、まいった」

「どうした？」

「言っても絶対信じてくれないだろうけど……」

「うむ？」

「ついさっきまで、ぼく、男だったんだ」

男は大きく首を振った。何を馬鹿なことを、というしぐさだった。

ちらりと緑の瞳が動いてため息を吐く。

「だろうな」

「当たり前だ。そういう話を信じろというほうが無理だぞ」

「ぼくだって信じられない。どうりで、なんだか、体が変だったわけだ」

口を尖らせている少女は、しかし、さほど真剣に困っているわけではなさそうだった。苦笑を浮かべてはいるが、その口調は苦悩とも驚愕とも無縁のものだ。

男は疑わしげに相方の姿を眺めやり、

「俺には、おまえは、産まれた時からその姿でいるとしか思えないがな。どう見ても娘の顔だ。第一その髪はなんだ。それも急に伸びたというのか？」

「これは前からさ。それにこの顔も前からだ」

「その顔で、その髪で。どうして男だ。それとも首から下だけが別人の体だとでも言うつもりか」

冗談めかした言葉だったのに、少女は真顔で首を振った。

「これは、ぼくの体だよ。いつもと同じように走れたし、戦えた。見ただろ？　他人《ひと》の体じゃ、ああはいかない」

「では、おまえは女に産まれて今まで成長したということだ。それで説明がつくではないか」

少女はまた首を振った。頑固なしぐさだった。

「きみがさっき言ったんじゃないか。ぼくの足には魔法がかかってるのかって……」

「ああ」

「足にじゃない。この足はもともと速い。体にかけられたんだ」

男は呆れ返った。

「誰かが、おまえに魔法をかけて、男から女の姿に変えたというのか?」

口にはしたものの、どうしてこんな荒唐無稽な話にまじめにつきあっているのか、いっそ不思議だった。

普段の彼なら一言のもとに笑いとばしただろうし、耳を傾ける気にもなれなかっただろうが、少女の表情は真剣そのものである。

さらには、昼間見たこの少女の不思議な力が、一応、男に考えるだけの譲歩を促していた。

「馬鹿を言うな。そんな魔法は誰も使えん。あれは……呪術もそうだが、万能のように言われていても、実際には単なるめくらましやまじないを行うのがせいぜいだ。方角を占ったり、勝機を予想したり、少々派手なところで人を呪ったり……。効きめがあるかどうかはあやしいものだがな」

「ここではそうでも、ぼくのいたところでは、自分の意志で姿を変えられる魔法使いがごろごろいたよ」

「姿を、変える?」

「そうさ。男になったり、女になったり。同じ人なのに齢を取ったり若返ったり。眼や髪の色まで変えたり。中には服を替えるみたいに、しょっちゅう違う体にしてるのもいた。遠くから見たんじゃ、もう絶対わからない」

あはは、と楽しそうに笑って、急に大きくため息をついた。

「だけどまさか、自分でやるはめになるとは思わなかった。ぼくの意志じゃないのは確かなんだから、きっと誰かが悪戯したんだろうな」

男は疑わしげな、気味の悪いものを見る想いで、眼の前の少女を窺っていた。

小さな娘だ。

すんなりと伸びた手足を簡単な胴着に包み、長い金の髪をきっちりと結い上げて、宝石のついた銀の輪を載せ、その頭を元通り白いきれで包んでいる。

姿は尋常である。眼の色も、ゆっくりとしゃべる様子もいたって正気に見える。

しかし、話す言葉のほとんどが男には理解できない。当然、形のいい頭の中で何を思い、何を考えているのかもわからない。

炎の蔭になった緑の瞳が、猫の眼のように光った気がして、男は固唾《かたず》を呑んだ。

「おまえのいたところというのは、どこだ?」

「たぶん。この地上のどこでもないところ」

「おまえは……」

男の黒い瞳に、真剣勝負さながらの光が浮かぶ。

ごくりと唾を呑んで、慎重に言った。

「おまえは……なんだ。人間か?」

「違うよ」

空は満天の星が輝き、大地には赤々と火が燃えている。

辺りには人の気配もない。

春の風がざわざわと梢を鳴らしている。

木に繫いだ男の馬が落ちつかなげに低く嘶《いなな》き、遠くで獣たちの呼びあう声がした。

男は腰から離して地面に置いてあった剣を引き寄せた。引き寄せたが、また手を離した。

「人でないなら……、なんだ?」

「何に見える?」

少女は真顔で男を見つめていた。男も真剣そのものの顔で少女の顔を見つめ返していた。

妖怪のたぐいには見えない。

いや、これほど美しい妖怪なら、たぶらかされてもいいと思うかもしれない。

あと五年もすれば、この美貌は一国を揺るがすほどのものになるに違いない。

頭をくるんでいる布が惜しかった。こんな無粋なもので隠さず、長くたらして風になびかせれば、あの髪は黄金のベールを纏ったように見えるだろうに。

美しいばかりでなく、その顔には鋭いものがある。

幼いながらも誇り高い、気高い魂を持つものだと、すぐにわかる。

二人はしばらく無言で見つめあい、少女は不意に焚火に視線を移した。

「肉」

「む……？」

「肉が、こげる」

堅い木の枝に刺した肉を取り上げて、かぶりつき、男に笑いかけた。

「食べないとだめになるよ」

可愛らしい口調だった。必要以上に緊張していた自分がばかばかしくなり、男は大きく息を吐いて肉の固まりを取り上げた。

「どこから来たのか知らんが……さっさと自分のいたところへ帰ったらどうだ」

「帰れないから困ってる」

「なぜ帰れない？」

少女は難しい顔になって考え込んだ。肉を食べるのも忘れている。

「帰る方法がわからない」

自分の意志でここへ来たわけではないと少女は言う。そして帰る道もわからないと言う。

穏やかではない話だ。

男が肩をすくめるのと同時に、少女が不意に問いかけた。

「パラストは中央を三分する大国のひとつ。そう言ったね。ほかのひとつがデルフィニア？」

「それも知らないのか？　そうだ。残るひとつがタンガだ」

「パラスト、タンガ、デルフィニア……」

少女は口にのぼせて、首を振った。まるで聞き覚えがない、というしぐさだった。

「やっぱり、ぼくは徹底的に迷子だな。その他にも国はたくさんある？」

「もちろんだ」

釣られて答えてから、男は何ともばかばかしい気分に襲われていた。

どんな田舎町の、年端もゆかぬ子守女でも知っていて当然の知識である。この分ではそのうち、太陽は東から昇るの？　とでも言いかねない。

「おまえ、ここへ来てからどのくらいになる？」

「半日」

「なんだと？」

「気がついたら、さっきの花畑で、もうちょっとできみが殺されるところだった」

男は眼を見張り、こんな場合だが小さく吹き出していた。

「おまえ、そんなわけもわからぬ状況で、いきなり俺を救ってくれたわけか？」

「ここのやり方じゃ一人に大勢がかかるのは卑怯だって言わないわけ？」

少女が言い返す。

「一対一の勝負なら邪魔なんかしないで見物してたよ」

「それは、重ねて礼を言うべきだろうな」

真面目に頭を下げた男に、今度は少女のほうが困惑顔になる。

しげしげと男を見つめ、また突拍子もないことを訊いてきた。

「ここって、人間はどのくらいいる？」

「どのくらい、とは？」

「だから。その一国っていうのはどのくらい大きいのかってことだよ。例えば、国同士で戦争できるくらい、いる？」

妙なことを訊くものだ。

「国が大きければ多くの人間がいるさ。特にこのパラストはタンガ・デルフィニアと並んで、大陸の中でも屈指の大国だ」

「……？　それにしちゃずいぶんひなびてるみたいだけど？」

「人がいないのはここが田舎だからだ。さっきも言ったが、モザイや首都アヴィヨンへでも出向けば、見飽きるほど人がいるぞ」

「アヴィヨンがパラストの首都なの？」

「そうだ。パラスト一の大都市だ。オーロン王の居城もここにある。ロシェの街道にも沿っているからな。たいへんなにぎわいの都だぞ」

「そこに王様がいて政治をしてるの？」

「ああ。少なくともパラストではな。オーロンは腰の重い、贅沢好きの王だからな。滅多にアヴィヨンを動きはせん」

「王様って、偉い？」

これには男も耳を疑った。

「なんだと？」

「いや、偉いのはわかってるんだけど、つまり……どのくらい権力があるのかな」

「どのくらいも何も、国一番の権力を握っているに決まっているではないか」

「ほんとに？」

少女はどこか悪戯っぽく、反応を窺うように男の眼の色を覗き込んできた。

「表向きはそうでも、意外に実際に権力を握ってるのは一番の側近だったりするし、もっと悪くすると王様は完全に飾り物の場合もあるし、あるいは名目上一番偉いだけで、皆の意見の調整役だったりすることもあるし。一番健康的なのでも……そうだな、力のある強い王様なら自分たちの国を豊かに居心地よくしてくれるから従っているっていうのが正直なところだろうし。逆を言えば、王様がどんな無茶をしてもどんな横暴をしても、皆が王様怖さに黙っていうこと聞いてくれるなんていう状況は、めったにないと思うけど？」

男はあっけにとられて少女を見やった。

とても年端もいかぬ娘の言うことではなかったからだ。

それどころか、下層階級のものならば成人でも言えないに違いない。

彼らは国王という権威に対して時に悪口を言い、時に軽口を叩いても、基本的に『偉い人』だということを疑ったりはしない。考えもしないはずである。

それは彼らが成長する過程において、水が砂に染み込むようにごく自然に染めあげられたものだからだ。

一般市民よりは国王に近い貴族階級でも、よほど聡明なものでなければ言えないに違いない。

「おまえ……、そういうことはやたらと口にしないほうがいいぞ」

「ははあ？　下手に言うと罰せられる？」

「それもある。それもあるが……間違いなく、異端視されるぞ。国王は……国王というものは畏敬されなければならないものだ。そう……貴族から農民までの、国一丸となってのその意識こそが、王を王たらしめていると言ってもいい。だからこそ国王は自身の権威を示そうと懸命になるのだし、その補佐を務める貴族たちも人の手本となって国王をもりたてる。国民に侮られるような国王では国が成り立たん。いや、そもそも王の力というものは、どれだけ多くの人間がその王を支持するかで決まるものだ。つまり……」

「中身はどうあれ、見た目だけでも偉いことにしておかなければならないわけだ」

男はほとんど驚愕してこの小さな少女を見やったのである。

いったいどういう素姓の娘かと思った。

「恐ろしいことを言うやつだな」

「そっちだって、けっこう怖いこと言ってるじゃないか。ちゃんと説明するんだから。普通こんな時は常識的な人なら、怒るか薄気味悪く思うかのどっちかだ」

自分で聞いておきながらたいへんな度胸である。

男はと言えば、饒舌になった自分に自嘲混じりの苦笑を漏らしていた。

「俺は……多く旅をして、いろいろな国を見てきたからな。王と言えども完全無欠ではないことも、結局は一人の人間にすぎないことも、わかっている。人に聞かれては困るから口にはせんがな」

「じゃあ、ぼくもそうする」

と、少女は頷いた。

男は男で興味深げに少女を見つめていた。

この少女は『違う世界』から来たのだという。つい先頃まで男の体だったのだという。どこまで本気にとっていいものか計りかねたが、男はそれ以上、深く考えないことにした。

こんな問題を考えたところで答えは出そうにない。

要するに無駄ということだ。

男は、長年の習慣で、何かことが起こった時には自分の五感と直感を信じることにしていた。

この少女は、少女の信念と正義感から自分の命を助けてくれた。多少変わっているところがあるのは確かだが、忌しいものには見えない。

それで充分だった。

「おまえ、それで、これからどうする？」

「きみと一緒に行くよ。邪魔でなければね」

男はまた笑いを漏らしていた。

ほんの小さな娘のくせに、一人前の戦士のような口をきくのがおかしかったのである。

「やめておけ、と言いたいところなのだがな」

「どうして？」

「決まっている。危険だからだ」

今度は少女のほうが悪戯っぽく笑った。

「説得力ないね。ぼくはたいていの危険なら自分でなんとかできる。少なくとも足手まといにはならないはずだし、ついでにきみを助けることもできる」

実際その通りらしいので、男はまた苦笑するしかなかった。

「しかしな、俺の命を狙っているものはなかなかに執念深いようだからな」

少女は不思議そうな顔になった。

「それこそ、そんなに恨まれるようなことって、何をしたの？」

男は太く笑った。

「さあてな。俺は何もした覚えはないが、彼らのほうはそうもいかないのだろうよ。どうしても俺に死んでもらいたいらしい」

何もした覚えがないにしては、先程の襲撃は念が入りすぎている。

しかし、少女は詳しくは聞かなかった。この男の事情に首を突っ込んでも仕方がないと思ったのかもしれなかった。

「じゃあ、また襲われるんだ？」

「ああ、まず間違いない」

「わかってて一人で立ち向かうわけ？」

「そういうことになるな」

真顔で頷くのだから、この男も相当のひょうきんな性格である。

それでも、とことん呆れた様子の少女にさすがにまずいと思ったのか、笑いながら弁解した。

「俺とてみすみす殺されるつもりはないぞ。そのためにデルフィニアを目指しているのだ」

「そこに味方がいるの？」

「さあて、どうかな。味方もいるが、敵もいる」

「危ないところなんだろ？」

「かなりな」

「それでも行くの？」

「ああ。行かなければならんのさ」

少女はひとつ頷いた。

「じゃあ決まりだ。ぼくでよければ味方になる」

あっさりと言う少女に男のほうが苦笑した。

どうしてもついて来るつもりらしい。

「物好きなやつだ。出会ったばかりの男の味方を申してでるとはな」

「人のことを心配してる場合じゃないと思うけどな。昼間のことだってそうだ。ぼくがいなかったらどうなってたと思うんだ？　この先も襲われるのがわかってるっていうんなら、ついでに死にたくないんなら、何か手段を講じるべきだろうが」

「確かに」

男は苦笑しっぱなしである。

「先程のことは俺の油断だ。敵がこれほど早く、あれほどの手数をそろえて襲ってくるとは予想外だったのでな。襲われるにしても、もう少し東へ進んでからだと思っていたのさ」

「だから、ちょうどいいじゃないか。きみは味方を必要としてる。ぼくはとりあえず、こっちの世界に慣れなきゃいけない。迎えが来るまではここで暮らすしかないからね」

「迎え？」

「ああ。ここはぼくの世界じゃないし、自分の力では帰れない。となれば迎えが来るのを待ってるしかない。じれったい話だ」

「いずれ、迎えが来るのか？」

「そりゃあね」

少女は頷いて、

「なんでこんなところに落ちて来たのか、ぼくにはさっぱりわからない。なんでこんな体になっているのかもわからない。おまけにこの世界の右も左もさっぱりだ」

「…………」

「だから一緒に行く。他にできることはないし、行くところもない。それにここへ落ちて来て真っ先にきみと会った。きみが何と戦おうとしているのかは知らないけど、手伝うよ」

熱心な申し出に男の心もだいぶ傾いたのだが、なにぶん相手はほんの少女である。味方として頼むには抵抗があったし、取りかえしのつかないようなことになってはと怯《ひる》む気持ちもあった。

「しかし……俺の味方をしてくれても、何の得にもならんと思うぞ。どんな危険な目に遭わせてしまうかもわからん」

緑の瞳がくるりと動いた。

「味方が欲しくない？」

「それは欲しい。欲しいが……無償で人の剣を借りるわけにはいかん。まして命がけのことだ。おまえが俺のために自分の剣を役立ててくれようと言うのはありがたいが、俺はその報酬として与えるものを今は何も持ってはいない。それでも構わんのか？」

すると、緑の瞳がこれまた悪戯っぽく笑ったものである。

「いいことを教えてあげようか」

「うむ？」

少女は幼い顔を精一杯難しくし、芝居がかった重々しい口調で諭すように言った。

「報酬目当ての味方ほどあてにならないものはない。彼らには心を許さず、あくまで一時しのぎの道具として使うべきである。なぜなら彼らは敵がそれ以上の報酬を示せば簡単に寝返るからだ」

今度はにこりと笑って、

「勉強になっただろ?」

男は眼を丸くした。

ついで盛大に吹き出した。

暗い森の中に、実に楽しそうな男の太い笑い声と、かろやかな少女の笑い声が二重唱になった。

「確かに……。いや、確かにその通りだな」

やっと息を整えた男が言うと、少女はまじめくさって頷いた。

「そりゃあね。報酬を約束しなきゃ味方なんて集まらないけどね。そういうのは本当の味方にはならないもんだよ」

「なるほど。では、どういうのが心強い味方なのかな?」

すっかりおもしろくなってこちらも真顔で尋ねると、

「ひとつには自分と同じようにその敵を強く憎んでいるもの。ふたつは利害が一致するもの。その敵が倒れることで相当に得をするか、倒れてくれないとたいへん損をする理由のあるものだ。このふたつなら少なくとも敵を倒すまでは裏切りの心配はない。倒した後はどうなるかわからないけどね。あとは汝の志に感動してなんて立派な理由をつけてくるのもいるけど、これもあんまり仰々しいのは考えものだな」

男は今度は眼を見張った。

いちいちもっともなことなのだが、それをこんな歳の少女が言えるということに驚いたのだ。

「結局は、もうしようがないから助けてやるか、くらいのほうが信用できるんじゃない？　もちろん場合によるけどさ」

「では、おまえは仕方がないから俺を助けてくれるわけか？」

「そうだよ。せっかく助けたんだ。なのにすぐに死なれたんじゃ寝覚めが悪いじゃないか」

「もっともだ」

頷いてから首を傾げてしまった。

どうも妙な具合に意気投合して話ができあがってしまったようである。

こうなっては仕方がない。男もそれ以上止めようとは思わなかったが、ひとつだけ感じていた疑惑を口にした。

「おまえ、剣を取ってからどのくらいになる？」

「八歳の時にこの剣をもらった」

「では、今までに何人を殺している？」

緑の瞳が瞬きするのをやめて男を凝視した。

「覚えてもいないな。そっちは？」

「俺も覚えてはいない」

「それなら訊くこともないだろうに」

「だが、おまえの歳であれほど剣を遣うとは、尋常なことではないぞ。おまえのような歳の娘が、何故あれほど的確に剣を揮える？」

「的確？」

「そうだ。剣を遣うことへの怯みも興奮もない。血を見ることに少しも抵抗を覚えない。かといって己の技量を楽しんでいるようでもない。あまりにも冷酷にあの連中を葬ったではないか」

少女は顔をしかめた。

「そうは言っていない。ただ、今のおまえと、先程の剣を揮っている時のおまえとでは、あまりに様子が違っているのでな。どちらがおまえの本当の顔なのかと思ったまでだ」

「人聞きが悪いな。じゃあ何か？　にこにこ笑いながら斬りあいをしろとでも？」

「別に意識してやっているわけじゃない」

「ほう？」

赤い唇に少しばかり皮肉な笑みを浮かべて、少女は言った。

「剣を取ったら生きるか死ぬかだからな。おれはこんなところでは絶対死にたくない。死にたくなかったら相手を倒すしかない。結果、自分の手が血まみれになったとしても、いつか誰かの手にかかって倒れることになったとしても、それは仕方のないことだろうな」

男は驚いて少女を見た。

常々自分も考えていることだったからだ。

この男もまだ死ぬわけにはいかない理由を持っている。己の命を奪おうと向かってくるものがいるならば、たとえ殺してでも撃退するだけの覚悟は決めている。

そうして他者の命を奪ってきたつけが、いつか自分に廻ってきたとしても、それは戦うことを選んだ者の業《ごう》にすぎないのだ。その業に耐えられない者は初めから剣などに触れるべきではないし、まして徒《いたずら》に人の命を奪うなどもってのほかだ。

半分は納得したが、この少女はそこまでわかっているのかと思い、軽く責めるような眼を向けてみる。

「しかし、殺すこともなかったのではないか。おまえの……あれだけの腕ならば、手傷を負わせるだけで済ませることもできたはずだぞ」

少女の緑の瞳はびくともしなかった。

「十人がかりで一人に襲いかかるような連中に、命を許してやる必要がどこにある」

恐ろしいことをあっさり言う。それからきっぱりと断言した。

「獣だろうと人間だろうと、おもしろずくで殺したことは一度もない。これからも、しない」

不思議な落ちつきをみせる少女に、男は唇の端をつり上げて微笑した。

「おまえは確かに、よい味方になりそうだな」

「そっちもね」

「では、俺がデルフィニアへ入るまでは同道するとしよう」

「デルフィニアのどこへ行くの？」

「コーラル。首都コーラルだ。……無事に入れれば、の話だがな」

「そこへ入るのが最終的な目的なわけだ？」

「ああ。今のところはな」

「じゃあ、ぼくはきみを無事にコーラルへ届けるのを当面の目的にしよう」

男は太い声で笑った。

思わぬところで、思ってもみなかった形で、思わぬ味方を手に入れることになったのが、自分でもおかしかったのである。

「まだ、名も告げていなかったな。俺は……」

ためらったが、この風変わりな相手がどういう反応を示すか確かめてみたくなって、男は久しく使わない本名を名乗った。

「俺は、ウォル・グリーク・ロウ・デルフィン」

「長い名前だ」

驚いたことに、少女はその名を聞いても何の感慨も覚えないらしい。

「どこを呼べばいい？」

「ウォルでいい。昔はみんなそう呼んだ」

「今は違うの？」

「ああ」

男は苦笑しながら頷いた。この少女が違う世界から来たというのは眉唾としても、少なくとも中央地域の住人でないことは明らかだった。そして中央へ入って、きわめて日が浅いことも明らかだ。

でなければ、この名前に、ここまで無反応でいられるわけがないのである。

「おまえは？」

「リィ」

「それだけか？　短すぎるな」

「友達はみんなそう呼ぶんだよ」

「しかし、それだけではあるまい？」

男は食い下がった。農家や町の子どもならそれで普通だが、この少女は違うはずだ。

再度の問いかけに軽く肩をすくめて、言った。

「長い名前はね。グリンディエタ・ラーデン」

「ほう……」

男はちょっと眼を見張った。想像以上に立派な名前だった。

ラーデンという地名にも家にも聞き覚えはないが、中央地域でないとなれば無理はないし、もしこの少女の言うように違う世界の名前なら、聞き覚えがなくて当たり前である。

もっとも、男は少女の言葉を全面的に信じているわけではなかったから、名を知ったことで満足した。

「グリンディエタ。いい名前だ。しかしそれでリィとは妙だな？　普通に呼ぶならグリンダだぞ」

形のよい眉がしかめられる。

「そうらしいけど、その呼び方、あんまり好きじゃないんだ」

「どうして？」

少女はちょっと口を尖らせた。

「だって女の子の名前じゃないか。ただでさえ女の子みたいな顔なのに、名前を言うたびに女の子と間違えられるんだから。かなわないよ」

「………」

男としては何とも言いようがなかった。

呆れ顔で自分を見つめているその表情に、やっと事態を察したらしい。

少女は——つい一日前まで少年だったと主張している少女は、何とも複雑な表情になって、しみじみと頭を抱え込んだのである。

「誰がやったか知らないけど、ほんとにもう。当分この体でいなきゃならないのかなあ……」

「いなければならんのではないのか？　それに、そう悲観したものでもないぞ。なかなかよく似合う体と名前だと思うがな」

冗談めかした言葉に、少女は恨みがましげに、大きな体の相棒を見た。

「どうせ違う姿にするんなら、きみみたいな体にしてくれればよかったんだ……」

大まじめな顔つきで言う少女に、男はとうとう吹き出していた。

3

奇妙な旅が始まった。

一人は粗末な戦士の衣服ながらも、年若く、堂々たる体軀の偉丈夫。

そしてもう一人はその戦士の胸辺りにやっと頭の届くような少女である。

やはり身につけているものは粗末だが、そして無粋にも輝く黄金の髪をきっちりと結い上げて白い布で隠していたが、幼いながらも匂いたつような美貌である。

二人は誰が見ても眼を見張るに違いない異色の組みあわせだった。男は馬を手放し、徒歩でロシェの街道に乗ったのだが、こんな道連れがいたのではいやでも人目を引く。

並んで歩きながら、国境はどうなっているのかと少女は訊いた。柵か何かが立っているのかという疑問だったが、男は首を振った。

「パラストとデルフィニアの国境はテバ河の流れが決している」

「河が国境？　わかりやすくていいね」

「全部が全部ではないがな。平野部ではそうだ」

「じゃあ、内陸では？」

「ここからではまだ見えないが……」

　男はそう言って正面を指さした。

「五日も歩けば右から左を一文字に遮る山脈が現れる。タウという。中央を分断する大山脈だが、その向こうがタンガだ」

「へえ？」

　男は地面に簡単な地図を描いて、三国の位置関係を説明してやった。

「タンガとパラストはほとんどがタウによって分けられ、デルフィニアとパラストの間にはテバ河の流れがある。タンガとデルフィニアの間には、やはりタウが腕をのばしている」

　少女は軽く首を傾げた。

「山の向こうとこっちなのに、三つひとまとめにして呼ばれてるわけ？」

「そうさな。国力と位置を考えるとそういうことになるが、土地柄にはかなりの差があるな。パラストの国土のほとんどは平原だし、タンガは大部分が山地だからな」

「デルフィニアは？」

「山も平原も海もある」

「じゃあ、三つの国のうち、一番豊かで栄えてるのがデルフィニアなんじゃない？」

男は思わず表情をほころばせた。

「普通に考えればその通りだ」

少女はちょっと首を傾げた。そうすると今は普通ではないことが何かあるらしい。

しかし、口にしては違うことを尋ねている。

「河が国境でも、越える時は何か検査みたいなものがあるんじゃないの？」

「無論のことだ。自国民をそう簡単に国外へ出すわけにはいかんし、他国民をそう簡単に受けいれるわけにもいかん。国を出るには出国許可証が必要だし、入国の場合は、生まれや名前、それに身元の保証になるような通行証を持っていなくては砦を通過できん」

「それ、持ってるの？」

「いいや」

男はにやりと笑った。

「持っていたとしても、おまえの身元をどう説明していいやら見当がつかん」

少女は、うーん、と唸り、横を歩む男を見上げて言った。

「兄妹ってことじゃ、だめかな?」

「かなり無理があるな」

大真面目に答えた男である。

「なに。まともに砦へ向かうつもりはない。こういうことにはいくらでも抜け道があるものだ」

「そうなの?」

「そうとも。真正直に砦へ向かったりしなければいいだけのことだ。地続きならば道を避けてこっそり入り込んでしまえばよいし、テバ河にはパラスト、デルフィニア両方の漁師が船を出しているからな。賃金をはずめば向こうへ渡してくれるさ。それが無理でも泳いで渡ってしまえばいい。——おまえ、泳ぎは得意か?」

「走るほど得意じゃないけど。大丈夫」

男は興味深げに、真顔で頷いた少女を見つめていた。

いったいこの少女はどこから来たのか、そして何者なのかと思う。

というのも、少女の知識の欠落は、単に中央地域外の住人だからで済まされる類のものではなかったからである。

初めて会った夜にも感じたことだが、どんな子どもでも、この歳になれば自国の名と国王の名くらい知っていて当然だし、身分制度からなる社会構成も知っているはずである。幼い子どもは誰に教わらずとも、自分がどの階層にいるのかは物心つくと同時に覚えるものだが、この少女は、自分が農民の子なのか、貴族の子なのか、まるで自覚がないらしい。

それどころか、

「どっちに見える？」

と、真顔で訊くのだ。

「郷に入りてはなんとやらだ。それっぽくふるまうにはどういう役どころがいいのかな」

と言うのである。

男は呆れて答えた。

「それは俺のほうが知りたいくらいだ」

農家の子にしては姿かたちに品がありすぎる。

かと言って貴族の子にしては態度がいささか粗野に映る。腰に大剣は下げているものの、こんな歳で自由戦士のわけはないし、町家の子というのは論外だし、考えれば考えるほど、わからなくなる。

少女のほうは熱心に男に質問をしていた。この旅人を通じて見知らぬ世界の情報を仕入れようとしているようだった。

男のほうも、彼にとってはわかりきっていることだけに、やや呆れ調子ではあったが、一通り話を聞かせてやった。

「中央には大華三国。北方にいくつかの王国。中央下部から南にかけては小公国と南方諸国。アベルドルン大陸全土ではっきりわかっているだけでも二十の国々がある。小さな島国や地図の及ばない未開の土地まで含めると倍近くはあるのではないかな。そのすべてに頂点に立つ王がいる」

「大陸は他にもあるの？」

「いいや、人の住む大陸はここだけだ。沿岸付近に島国がいくつか散っているが、大陸はない」

「じゃあ、この大陸を端から端まで全部歩いた人はいないわけだ？」

「とてもとても、無理だな。五年かかるか十年かかるか……。だいたい、人は自分の産まれ育った土地を軽々しく離れたりはしないものだ」

これには少女が首を傾げた。

「ウォルはこうして旅をしてるじゃない？」

「俺は自由戦士だからな。雇ってくれる相手がいれば、どこへでもいく」

「自由戦士って？」

「領地も主人も持たず、身分も持たない兵士のことだ。剣の腕だけで世を渡っている。要するに傭兵稼業だな」

深い緑の瞳がくるりと動いた。

「おかしいじゃないか。そんな一兵卒が、どうしてあんなに念入りに狙われるんだ？」

「こんな仕事だからな。知らぬうちに人の恨みを買うことはいくらでもある」

「それにしては、あの連中、ならず者なんかじゃなくて、ウォルの言う主人持ちに見えたけど？」

男は思わずひやりとして少女を見た。

この少女は十三になったばかりだという。

初めはあまりの『もの知らず』ぶりに頭は確かかと思ったが、馬鹿どころではない。常識はまったくと言っていいほど知らないが、その中身は、精神の成熟程度は相当なものだ。視点も鋭い。

今まで、子どもを相手に話したことを思い出すと、それがよくわかるのである。

この歳の子どもがまともな話し相手になったことなど、ついぞ覚えがない。子ども時代の自分がそうだったように、どうしても大人のほうが手加減して話すことになる。

ところがこの少女にはその手加減が必要ないのだ。

「主人持ちの騎士がああやって襲いかかってくるってことは、彼らの主人がウォルを殺せって命令したことになるじゃないか。それとも騎士っていうのは、主人の意志に関係なしに勝手に旅の戦士を襲ったりして怒られないの？」

「いや、怒られるぞ。主人にも自分にもな」

「……？」

首を傾げた少女に男は笑って、

「騎士たる者には体面はなによりも大事なものだ。愚劣なふるまい、騎士道に背くような行いは、主人の名を汚すことにも自分の名をおとしめることにもなる」

「じゃあ、その騎士たちをかかえている領主は？　何の理由もなしに旅人をむやみに襲ったりして、罰せられないのか」

「そうさな。国王の耳に入りでもしたら、厳重に罰を言いわたされるだろうな。もっともその前に、自分の領民たちに愛想をつかされるだろうよ」

「じゃあ、王様同様、身分的には偉くても、あんまり好き勝手はできないわけだ」

「その通りだ」

相槌は打ったが、この男の言うことは、世間一般で常識と思われているものからは、かなり外れている。

身分の差は動かしようもない絶対的なものだったし、権威をかさに着た騎士たち、領主たちの横暴もないことではない。

だが、貴族の横暴は露見すれば国王が罰する。

では国王の横暴は誰が罰するか。

男は我知らず苦い顔になった。そんな時にこそ、本当なら、王の身近にいる側近たちの出番である。しかし、実際には独裁者と一緒になって権力をむさぼり、我が身の栄達だけを考える者の何と多いことか。

「家来たちが結託して自分たちに都合の悪い王様を排除するなんてことはあるのかな?」

ぎょっとした。

思わず足が止まったくらいだ。

少女は小首を傾げている。

「何か変なこと言った?」

「いや……。ない話ではない。だがおまえの言うのはどちらの場合だ? 家来たちが自国の正義を守ろうとして悪に手を染めた君主を追放するのと、私腹を肥やすことに夢中になった家臣たちが正義を主張する石頭の君主を追い払うのと、二通りあるぞ」

「だいたい国の成長期には前者、安定期だと後者が増えるはずだよね」

「理屈ではそうなるな」

男は舌を巻いていた。

いったい、どういう頭のつくりをしているのかと思う。

「このパラストなんかはどうなのかな？　大華三国なんていうくらいだから、やっぱり安定期なのかな？」

「まあ、そうだな。国は豊かで栄えているし、タンガとの小競りあいはあるにせよ、国が痛むような被害は被《こうむ》ったことがない。国王のオーロンは豪傑でも英雄でもない王だが、煮ても焼いても食えない古狸だからな。堅固な国体を築いている」

「ふうん」

王の存在が国に対して果たす役割は、かなり大きいということだ。

「いい王様ならその国は栄えるし、できの悪い王様だったらまわりの家来たちが別の王様を用意するってことか」

「その通りだ」

真摯な表情で頷いた相方に、少女が不思議そうな眼を向けた。

「身につまされることがあるみたいだけど、ウォルの国の王様はどんなだったの？」

男は小さく笑いを漏らしていた。

「自由戦士に主君と仰ぐ王なぞいないさ。今の俺には国もない」

「じゃあ、ぼくとおんなじだ」

と、少女は笑った。

身寄りもなく、頼る国さえないというのに、少しも不安な様子を見せない。むしろ気楽でいいとでも言いたげである。

この少女の変わっているのは物の考え方ばかりではない。はじめて会った時の戦いぶりからして信じられないものだったが、その能力は、ほとんど人とは思えないものだった。

短距離とはいえ、馬と走り比べをして堂々勝ってしまうのはもちろん、眼も耳も異常なくらい鋭かった。飛びたった鳥をちらりと見ただけで、その大きさと羽の色とくちばしの色を言いあてて、何ていう鳥？　と訊くのだ。

吹けば飛びそうな華奢な体のくせに、大の男の連れに少しも遅れず足を運び、丸一日歩き続けて疲れた様子も見せない。

普通、成人した女性の旅程でも、男より二割方は劣ることを考えると、驚異的な健脚である。

しかもその足は丈夫なばかりでなく、瞬発力も相当なものだった。

共に旅をするようになってから、食料の調達は一切少女が引きうけた。気配を消し、獲物の接近を待ち、短剣を投じる。もしくは——見ていた男は眼を疑ったのだが——全力で逃げる獲物に追いすがり、飛びかかって倒したことさえある。

男の身長と同じくらいの高さの生け垣を軽々と飛びこえたこともある。

そのたびに、かすかな悪寒を感じながらも、男は皮肉っぽく笑って言った。

「かなうものなら、俺にも、おまえのような足が与えられたらと思うぞ」

すると少女は男を見やって言ったものだ。

「それなら、ぼくはウォルみたいな大きな体が欲しかったな」

おかしなことを言うものである。こんな少女が、大の男の体をうらやましがるのが不思議で、男は思わず言いかえしていた。

「これほど大きいと動くのに邪魔だぞ。小回りもきかん」

これには少女が眼を見張った。ついで笑い転げた。

高らかな小鳥のような声が耳に心地よかった。

「おもしろいこと言うなあ。こっちの人って、みんなウォルみたいに、おもしろいのかな?」

「さて、どうかかな? 俺はおまえのいたところにどんな人間がいるのか知らんからな。しかし、なぜそう大きな体が欲しいのだ?」

少女は困ったような顔になった。

「だって、この顔にこの体じゃ、全然強そうに見えないじゃないか」

「……? わからんな。おまえは実際に強いのだから見た目などどうでもよかろうが」

「それはウォルがそれだけ大きくて、存在感たっぷりの強そうな男で、誰からも侮られたことがないから言えるんだ」

少し悔しそうな、うんざりしているような、そんな顔で少女は唇を噛んだ。

「人にどう見えようと、ぼくは戦士なんだ。なのにこの見た目のせいで、誰もそう思わない。ただ歳が足らなくて、顔がこんなだからって……、ひどい差別だ」

むっつりと言う様子を見て、男は初めてこの少女をかわいいと思った。

昔、自分にも覚えのあることだったからである。体は充分よく動くし、剣の扱いにも慣れている。

誰にも引けを取らずに働けるつもりでいるのに、歳が足らないというだけで一人前とは認めてもらえなかった遠い少年のころ。

「なにも焦ることはない。おまえの剣の腕は相当なものだし、心根も正しい。今におまえの力を見せつけて頭の堅い連中に認めさせることができるだろうさ」

少女は自嘲気味に笑った。

「見せたら見せたで、またいろいろ言われる」

「どんなことを？」

答えず、首を振る。

旅は順調だった。街道を行く他の旅人も見かけたが、彼らは男と少女の二人連れに不思議そうな眼を向けていくことが多かった。

「何か、おかしいのかな？」

少女が訊くと、男は頷いて、

「一にはおまえの身元がどういうものなのか、悩んでいるのではないかと思うぞ。自由戦士にしては歳が足らぬし、俺の小姓にしては見目かたちがよすぎるからな」

少女はうんざりと顔をしかめた。

「やっぱり、ここでも髪はしまっておかなきゃならないらしい」

この少女には恐ろしいことに自分が少女であるという自覚がまったくない。言葉遣いも態度も、やんちゃな少年そのものである。

時折、髪をほぐして結いなおすのが唯一の娘らしいしぐさだった。もっとも少女に言わせると、その長い髪は『必需品』なのだそうである。

「第一に防寒用、第二に儀礼祭典用、かな？」

そんなことを言っていた。

この少女が自分の世界から持ちこめたのは、自分自身と腰の剣と、額に置いた銀の輪だけだった。

その輪を見せてもらうと、嵌《は》めこまれた緑の宝石は、男が今まで一度も見たことのないものだった。緑柱石《りょくちゅうせき》とも翡翠《ひすい》とも違う。どこまでも深く、あくまでも透き通った石だ。少女の瞳とそっくり同じ色の宝玉である。

輪の部分にはこれも見事な細工の浮き彫りが施してあり、裏側には、どうやら文字らしいものがびっしりと並んでいる。ただし、どこの国の言葉なのか、男にはとても見当がつかなかった。

「俺はこういうものにはあまり詳しくないが、かなりの値打ちもののようだな。好事家が見たら眼の色を変えて欲しがるに違いないぞ」

「だめだよ。それはぼく専用」

「これは、どうして手に入れたのだ？」

「友達がつくってくれたんだ。お護りにするようにって」

「ほう？」

男はちょっと眼を見張った。

「たいしたものだな。おまえの友人は。これほどの腕前の細工師はペンタスにもそうはいないはずだぞ」

「ペンタス？」

「小さな都市国家だがな。文化芸術においては大陸一の高水準を誇る国だ。当然こういうものを扱う職人も数多くいるが、そんじょそこらの細工師では足下にも近寄れない者たちばかりさ」

そのペンタス製よりもこの額飾りのほうが上質だというのである。

「自分でもいいできだって言ってたよ」

「だろうな。この銀はおまえの黄金の髪に実によく映える。この石もおまえの瞳をそのまま宝石にしたようなものだしな。おまえの額に置くにこそ、ふさわしい一品だ」

「だから、ぼく専用なんだよ」

男の手から取りもどして元通り頭にかぶり、素早く髪を結い上げる。その上からまた白いきれを巻きつけるのを見て、男は少しばかり残念そうに言ったものだ。

「わざわざ隠すのは惜しいと思うがな」

「隠さないといろいろ面倒なことになるんだよ」

何のことかと思ったが、じきにわかった。

夜になると野宿を繰りかえしていた彼らだが、ある晩、急にどしゃ降りに降られ、男は少女を促して街道沿いに建っていた宿に逃げ込んだ。

ロシェの街道は中央を横断する商業行路だから、今の季節ならば旅人の足が絶えることはない。

街道の要所には宿場町ができ、にぎわっているが、野中にも不意の旅行客を泊めるための宿屋がある。

たいていは雨風がしのげればいい程度の山小屋だったり、あるいは大きな農家があまった部屋に旅人を泊めたりするものだが、この時の宿屋は野中の一軒家にしてはかなり上等だった。

立派な石造りの二階建ての建物だ。入口には看板が掛けてある。急の雨に、お客が一斉に押しよせたようで、入口では小者たちが旅人の世話に大わらわだった。

街道沿いならば、このような店はいくらでも見つけることができる。

しかし、今までずっと野原で寝起きしていた少女は、立派な建物に驚いているようだった。

「ここに入るの？　お金かかりそうだけど……」

「そのくらいの持ちあわせはある。このままでは、デルフィニアに入る前に風邪で殺されるぞ」

入ってみると、一階は酒場を兼ねた大広間になっていた。突き当たりには大きな暖炉があり、赤々と火が燃えている。

他にも何人かが同じように雨に追われて駆け込んで来ていた。卓について談笑しているもの、あるいは暖炉に当たっているもの、様々だ。

ずぶ濡れになって飛び込んだ少女と男の組みあわせを誰も連れだとは思わなかったらしい。暖炉のそばで衣服を乾かしていた男たちは、リィのことを少年だと勘違いしたらしく、手招きして、衣服を乾かすように勧めてくれた。

「ぼうや。いくらこの陽気でも、そのままでは風邪を引くよ。はやく着ているものを脱いで、ここへ掛けたがいい」

穏やかな顔だちの旅人がそう言って、場所を空けてくれる。

リィは素直に礼を言って、剣を外し、胴着をするりと脱ぎすてた。

ほんのりと淡い色あいの肌があらわになる。

かろうじてその胸だけが、白いさらしの包帯で隠してあったのは幸いというものだったろう。

女の体は動きにくいと言って、わざわざそうしていたのだが、おかげで上半身裸の姿をさらさずにすんだのだ。

水を含んだ頭の布も取り、長い髪を解きほぐして火にかざす。

ぐっしょり濡れてはいるものの、純金のような長い髪を目の当たりに見て、男たちはあっけにとられていた。

こんな年頃の少女が一人で雨の酒場にやってくるとは、おかしなことなのだ。

ウォルの言ったように、人々の行動範囲はかなりせばめられている。まして若い娘の場合、ほとんど家のまわりから離れないのが普通だった。

「驚いた。嬢ちゃんかね？」

尋ねた旅人に少女は平然と、

「今はね」

と、答えた。

わけがわからず旅人が首を傾げる様子を、ウォルは酒場の主人に宿代を払いながら、苦笑して見ていたのである。

「ちょいと小粒だが、上玉じゃねえか」

長い金髪を見て、酒場の隅で呑んでいたらしい中年の男が、ふらりと立ちあがって暖炉へ近寄っていった。なめらかな少女の肌を見て口元がだらしなく緩んでいる。

「おまえ、旅芸人の一座からはぐれでもしたのか？　それとも逃げ出したのか？　体を売るのが商売なら高く買ってやるぜ」

酒臭い息を吐きながら少女の肩を抱こうとしたのだが、その手を少女がぴしりと打った。

「へ……気の強えガキだ」

少女の反応をその男はおもしろがっている。先の旅人が慌てて割って入った。

「およしなさいよ。こんな子どもに……」

「うるせえ。こういう娘には、ちっとお仕置きが必要だぜ」

相手は自分より頭ひとつも小さい、ほっそりした体つきの少女である。無理にでも手込めにするつもりで抱きすくめようとしたが、少女は今度は握りこぶしをつくって構え、迎え撃つ形で男の顔を殴りつけた。

「こ、このガキ！」

かなりの力だった。男は倒れこそしなかったが、大きくよろめいたのだ。しかも、口の端からは血が流れている。

「かわいがってやろうってのに何しやがる！」

「大きなお世話だ」

これは少女の台詞である。

絡んできた男も旅人もあっけにとられた。そしてウォルは次の展開がどうなるのかと、少し離れたところで黙って見物していた。

「おれはな。おまえのように、この顔と体だけを見て人を口説きにかかるような大ばか野郎にはうんざりしてるんだ。他を当たりな」

大の男も顔負けの凄みである。

申し分なく美しい少女の口からこんな言葉が次々出てくるとは夢にも思わなかったらしい。男は眼と耳を疑っている。

聞いていたウォルはかすかに笑みを浮かべたものだ。

しかし、少女は剣に手を掛けようともしない。

強く握ったら折れてしまいそうな細い腕で大の男の相手ができるのかどうかは、疑問の残るところだった。ところがだ。

「こ、このガキが！　大人を馬鹿にするとどういうことになるか教えてやらあ！」

叫んで掴みかかった男の手をひらりと交わし、少女はその腹を思いきり膝で蹴り上げた。かわいらしい丸い膝なのに鋼鉄さながらの威力を発揮したのだ。さらには、ぐえっと呻いて体を丸めた首筋に手刀をひとつ送りこみ、その男をあっさりと床に沈めたのである。

ほんの一瞬のことだった。酒場中の人間が唖然となって見つめる中で、少女は、

「口ほどにもない」

呟いて、また長い髪を乾かしにかかったのである。

後になってウォルはしみじみと言ったものだ。

「神々の中でもっとも賢明なはずのヤーニスも、今度ばかりは仕事を間違えたらしい」

「何それ？　こっちの神様？」

「そうだ。あらゆる生き物をつくり、魂を吹きこみ、知恵を授ける神のことだ。いったいヤーニスは、なぜおまえの魂に見あうような体をくださらなかったのかな？　誰もが愛らしいと思うに違いないその顔で、その姿で、中にあるのは豪気な戦士の魂だ。おまえもおもしろくなかろうが、それでは見ているこちらのほうもたまらんぞ」

少女はまだ生乾きの長い髪を垂らし、額にはあの銀の宝冠をつけて男の言葉を聞いていた。

旅館の中の一室である。本当は別々に部屋を取ろうとしたのだが、急の雨ということもあって、とてもそんな余裕はないと言われたのだ。

少女は部屋に入るなり、ひとつしかない寝台を見て、厳しい顔で連れの男を振りかえった。

「今のうちに言っておくけど。ウォル。妙な気を起こしたりしたら承知しないからな」

「馬鹿を言うな」

男は呆れて少し声を大きくした。

「俺にはおまえのような子どもを口説く趣味はない。だいたい言うことがおかしいではないか。そんな心配は娘のすることだ。なのにおまえ、今まで少年だったと言っておきながら、そうして男を牽制するのか？」

「ぼくだってこんな情けないこと言いたくない」

少女はきつく唇をかんでいる。

「だけど……。それだけ変なのが多いんだ。男の体でいる時も、結構、言いよられたりしたから」

「さっきのようなことか？」

黙って頷いた。

「ああいうことは今までにもよくあったのか？」

「うんざりするほどね」

眉をしかめている少女の顔だちに見入る。これだけの美貌だ。少年の体だったとしても、その美を愛するものが見逃すはずはなかった。

「何かその、ふらちな真似でもされたのか？」

「誰がさせるもんか。一人残らず張ったおした」

憤然と言う少女に、男は笑みをこぼしていた。

「ならば何も問題はなかろう。俺がおまえにふらちな真似をしようとしたら、同じように張ったおせば済むことだ。おまえにはそれができるのだろうが」

「…………」

「第一、おまえのようなものを好んで口説くほど俺は粋狂ではないぞ。人なのか、人でないのか、娘なのか、少年なのか、さっぱりわからないものを、どうして手込めにしようと思える？」

言葉は悪くとも、明るくいたずらっぽく言われたので少女も笑った。

長く垂らしていた金の髪をつまみ上げる。

「だいたいこの髪がよくないんだ。男はみんなこういうきらきらした髪の毛が好きだからさ。茶色とか灰色とか、いっそ黒い髪だったらよかったのにな」

「馬鹿を言うな。もったいない」

真顔で反論した男に少女は吹き出した。

寝台の端に膝を抱えて座っていたのだが、しばらくの間、体を丸めて笑いころげていた。

やっと起きあがると、涙をぬぐって言ったものである。

「ウォルは、変なやつだな」

「俺が？」

「そうだよ。変わってる。ほんとに人間？」

「なにい？」

突拍子もない声が漏れる。

「なにを馬鹿なことを。俺はおまえと違って正真正銘の人間だぞ。それ以外のものになど、なった覚えも、なるつもりもない」

「そういうこと大真面目に言うのが変わってるっていうんだよ」

少女は悪戯っぽく笑って、そうして初めて穏やかな表情になり、膝を抱え込んだ。長い金の髪が抱えた膝に流れおちている。

「だけど、真っ先に会ったのがきみみたいな人でよかったな。これからどうなるのかと思ったもん」

男は、それでやっと、この少女が今まで非常に緊張していたことに気づいたのだ。

本当に他の世界から来たのかどうかはわからない。

だが、何かの事情があって、見ず知らずの土地にたった一人で放り出されたことは確かだ。

どれだけ強くても、人間離れしていようと、まだ十三歳の子どもなのである。

華奢な白い手足にどれだけの力を秘めているのかは知らない。それでも、ここにいるのは頼れる人の一人も持たない子どもで、心細い思いをしているのだと思った。

「おまえ、親はいるのか?」

「いないよ。そう言ったじゃない」

「ここにいないとしても……おまえの本来いるべきところには?」

「いない。九歳の時に死んだ」

男は痛ましく思う気持ち半分、いぶかしく思う気持ちを半分覚えた。そんな歳の子どもが一人で暮していけるわけがない。

「では今までおまえの面倒は誰がみていた？」

少女はおもしろそうに笑ったものだ。

「やっぱり、ここでも、九歳っていうのはまだ子どもらしいな」

「なに？」

「こっちの世界では子どもはだいたいどのくらいの間、親と一緒に暮してるのかな？」

男は首を傾げて、

「一概には言えんな。町の子どもなら早ければ十一、二で奉公に出る。農家の子ならもっと幼いうちから親を手伝って働くはずだ。騎士の子ならば十五かそこらで初陣を迎えるはずだが……」

少女も同じく首を傾げていた。

「うーん。早いと言えば早いな。けど、遅いと言えば遅いか」

「なんのことだ？」

「だってぼくが親から離れて独り立ちしたのは四歳の時だよ」

男はあんぐりと少女を見つめてしまった。

何を馬鹿なことをと思った。

そんな歳の子どもが親から離れて生きていけるはずがない。

「別に一人で暮し始めたわけじゃないよ」

男の疑問を感じたのか、少女はそう付け足した。

「ただ、それまで留守番だったのに、一緒に狩りに行くようになったのが四歳の時なんだ」

「四歳で狩り?」

この少女の常人離れしていることは百も承知しているが、それにしても無理がある。

「そう。そのころやっと仲間に負けないように走れるようになった。だから狩りに出て一緒に獲物を狩った。それからは一人前として扱ってもらったし、ぼくもそのつもりだった。ところが……」

少女はちょっと苦笑して、

「きみたちの間ではそれが通用しない。ぼくは今でも子どものままらしい」

男は眼を見張って、寝台の端に腰を下ろした少女を見つめ、慎重に言った。

「おまえのいたところの流儀は知らんが……その歳で一人前扱いしろというのは……確かに無理だ。普通ならな」

「やっぱりね」

少女もわかっているらしく、反論はしなかった。

「所変われば品変わるって言うもんね」

少し意味が違う。

「だがな、リィ。以前はどうだか知らないが、とにもかくにも、その体でいる以上、もう少し気を使ったほうがいいぞ。人の眼にはおまえは十三の子どもなのだし、つけ加えれば美しい娘にしか見えんのだからな。さっきのようにいきなり肌をあらわにしては誰だってなにごとかと思う」

「それこそきみたちの感覚では、ぼくはほんの子どもだろ？　それでも裸になったらだめなの？」

「少年ならともかく少女ではな。やめておいたほうがいい。もう三年もすれば結婚してもおかしくない年頃だ」

これには少女が首を傾げた。

「十六で結婚？　ずいぶん早いな」

「おまえのいたところでは違うのか？」

「人間の結婚適齢期はよくわからないけど、十六はちょっと早いんじゃないかな？」

「こちらでは早いもので十六、七、普通なら二十くらいが婚期だぞ。娘は、だがな」

「男の人は?」

「それは別に決まってはいない。早いものでは十七、八。遅ければ四十で妻を迎える男もいる。早いものは貴族の子弟か王族。遅いものは身代を整えるのに時間のかかる商人や農家のものだ」

　少女はくるりと瞳を傾げて男を見やった。

「ウォルは?」

「俺はまだ一人身だ」

「いくつ?」

「二十四」

「へえ……」

　少女はちょっと眼を見張った。

「驚いた。それにしちゃ、ずいぶん老けてるね。三十こえてるのかと思った」

　男は声を立てて笑った。

「口の悪いやつだ。三十過ぎはひどいな」

　そう言っていたずらっぽく笑う顔は、いきいきと張りもあり、精悍な魅力にあふれている。確かに若いことは若いのだが、少女は納得しかねる顔で首をひねっていた。

「そうだよね。見た目は若いのにね。なんだかこう、態度がすごく、おじさん臭くない？　よく言えば貫禄があるっていうのかな？　他は知らないけど、それに前から思ってたんだけど、あんまりお金で剣を切り売りする用心棒には見えないんだけどな」

「誉め言葉と取っていいのかな？」

「そのつもりだよ」

男はますますおもしろそうに笑った。

「おまえも、そうしていると愛らしい少女そのものなのにな」

また顔をしかめる少女を見て、

「美しいと言われることさえ、嫌か？」

「女の子なら素直に喜べたんだろうけどね。顔で狩りをするわけでも戦うわけでもなし」

冷めたように笑って言ったものだ。

「ぼくにはむしろ邪魔だ」

恋をするには便利だろうに、と、言いかけてやめた。どんな反応を示すか容易に想像できたからだ。

「しかし、自分の顔だ。そうきらっていてもはじまるまい」

「きらいなわけじゃない。ただ、この顔で得をしたことは一度もない。おまけにこのごろは不愉快なことばかり多いからな」

この話題になると少女の口調はかなり冷ややかになる。

わからないものだ。十三の少女が容姿を誉められて、照れるでも恥じらうでもいやがるのでもなく、ここまで冷めた反応をする。

「みんながみんな不純な目的でおまえを誉めたわけではあるまいよ。俺も、おまえのその髪も、顔だちも、姿も美しいと思うし、いずれはどんな素晴らしい娘になるかと楽しみにもなる」

「ぼくには全然楽しくない」

まるで抑揚のない声で言い、寝台から下りて部屋の隅まで行き、そこで丸くなった。

「おい、リィ」

「そのベッド。きみ一人で満員だろ。だからいい。ここで寝る」

「それなら俺が床で寝る。おまえがここで寝ろ」

こんな少女を床に寝かせて、自分が寝床を占領することなどできるわけはなかった。

しかし、少女も頑固である。

「この天気に床で寝ることなんかなんでもない。真冬に雪の中で寝てたんだから。なまぬるいくらいだ」

「俺だって、床どころか堅い岩の上でも木の上でもかまわずに眠れるぞ。おまえが使え」

しばらく睨みあった後、少女は呆れたように言ったのだ。

「ひょっとして、ここに泊まろうって言ったの、ぼくのためだった?」

「嵐の中で眠ったりして風邪でも引いては大変だと思ったからな」

少女は緑の眼を見張って、くすりと笑った。

「やれやれ。お金、無駄にしちゃったな」

「なに。たまには屋根の下で眠るのもいい。とくにこんな夜にはな」

外ではごうごうと風がうなりを上げている。

春の嵐だった。

人も獣もこんな時は、じっと固まって嵐が過ぎるのを待つばかりだ。

「デルフィニアの国境まであとわずかだ……」

床に座り込んだ男が言う。

「何が待っているかは俺にもわからん。それこそ命を落とすことになるかもしれん。

引きかえすなら今のうちだぞ」

「どこへ？」

「…………」

「この大地の上のどこを捜してもぼくのいる場所はないんだ。どこへ引きかえせって？」

「…………」

「他に、何をする当てがあるわけじゃないしね。それこそたまにはこんなのもいいよ」

これも床に座った少女が答える。

寝台は空のまま放り出されて、二人は部屋の隅と隅とに陣取って話をしていた。

少女は、デルフィニアがなぜ危ないのか、なぜ危険を冒して男がそこへ向かっているのか、尋ねようとはしない。

男も、少女が何者なのか、今までどこにいたのか、詳しく尋ねようとはしなかった。

男は一人でいることを強要されて、少女は突然ひとりぼっちで放り出されて、自然と寄りそう相手を捜していたのかもしれない。

それがこんなふうに奇妙な、不思議とわかりあえそうな話し相手をみつけたのだ。

口には出さなくとも、二人とも因縁のおもしろさを感じていた。

4

翌朝は嘘のような上天気になった。

旅人たちは朝早いうちに一斉に宿を発ち、ロシェの街道を目指していった。

男と少女も早くから出発したのだが、男は進路を右に変えた。今までの広い街道から外れ、地元の人間が使っているような小道へ入っていく。

「ここから先ロシェの街道は北へ折れる。そのまま進むとアヴィヨンに入ってしまうからな」

と、男は言った。

とにかく東へ進めばいいというので、足もとの小道が東を向いているのを幸い、進み続けた。

「今どの辺を歩いているのか、わかる?」

「さっぱりだ。しかし、このまま進めばまた街道へ出るはずだぞ」

その言葉通り、太陽が中天を過ぎるころには、二人は街道への道標を見出していた。この辺りまで来ると、ずいぶん多く人の姿を見かけるようになり、少女は眼を丸くしている。

再び見出した街道は、パラストの各地へ進むための分岐点になっているようだった。旅人が足を休めるための酒場や宿屋が数多く点在している。

朝から歩きづめだったこともあり、男はそんな店のひとつを認めて、

「少し、足を休めていこう」

と、言い出した。

物慣れたふうで店の奥に声を掛け、野天に作られた腰掛けにどっかりと腰を下ろす。

「ラム酒を一杯もらおうか。それに……」

「おなじのでいいよ」

素早く横から少女が口を出す。

男は眼を剝いたが、応対に出た女は頷いて奥へ戻っていった。

「おい。子どもの呑むものではないぞ」

「なんでも試してみるが勝ちだ」

少女は平然としている。

芽吹き始めた緑に暖かな春の日ざしが降りそそいでいる。すごしやすい、よい季節だった。

荷物を背負い、二人の目の前を急ぎ足で過ぎていく商人がいる。かと思うと、近くの村まで使いに行くのか、荷車を引いた農夫がのんびりと歩いていく。のどかな光景だった。

道で行きあわせた農夫たちが、顔見知りだったようで挨拶を交わしていた。

「いいお日和ですなあ」

「へえ。お蔭さんで助かります。モールさんのおはからいでやしょう」

「なによりのこってすなあ」

そんな会話を交わして行き過ぎていく農夫を見やり、少女は小声で男に尋ねた。

「モールさんて何？」

「正式な名称はライモールという。天気と豊穣の神のことだ。農民にとっては文字通り、守り神だな」

「神様をモールさん？　おもしろいね」

「農民には何より親しまれている神だからな。彼らは天気が思わしくないとなればライモールに祈り、よい天気と具合のいい雨が降ればライモールに感謝する。怠け者にはライモールは多少の意地悪をし、怠けず働けば必ず豊作を約束してくれる。彼らはそう信じている」

少女は感心したように言った。

「お百姓さんを気持ちよく働かせるのには、もってこいの神様だね」

ものすごいことを言うものである。

呆れながらも、支配者にとっての宗教の都合のいい一面は男もかねがね承知していたので、相槌を打った。

「まあ、そうだな。戦士を気持ちよく働かせるため、バルドウが勝利と名誉を約束するようなものだ」

「うまくできてる」

そう言いながら出されたラム酒を少女はちょっとなめて、思いきりよく呑みほしたものだから、男はますます呆れて言った。

「うまいか?」

「悪くない。呑みやすいよ」

そんなはずはないのである。

「おまえにかかってはシッサスの火酒も呑みやすいということになりそうだな」

唸って、こちらも一息で呷《あお》った。

店には他にも旅人が何人か足休めに立ち寄っている。たまたま二人の背中合わせに腰を下ろしていた男たちの会話が、聞くともなしに耳に入ってきた。

「ところで、コーラルはどんな塩梅ですかね？」

一人がそんなことを言い、もう一人が慌てて手を振ったようである。

「いやもう、王様がとんずらしてしまったというんでは、お話にも何にもなりません。今やペールゼン侯爵の威勢はたいへんなものですよ」

「でしょうなあ……」

「逆に王様の味方だった人たちは、まるで罪人扱いですよ。王様の忠臣だったドラ将軍やアヌア侯爵は蟄居を仰せつかったそうですし、王様の後見役だったフェルナン伯爵などは牢屋へ入れられてしまったそうで……」

男がぴくりと反応したのを少女は見逃さなかった。

背中の会話に聞き耳を立てる。

「それはまた物騒な話ですなあ……」

「ええ、もう。それどころか近頃のペールゼン侯爵は、先王の甥に当たる――ほれ、あのアエラ姫のご子息を、新しい王様になさろうとお考えのようでしてね」

聞いた旅人が驚きの声を漏らした。

「まさか。いくら今の王様が行方知れずだからといって、そこまで?」

「まったく無茶な話ですが、ペールゼン侯爵は何とかして、あの王様は偽物だったと皆に知らしめたいわけですな」

「ははあ。そのために新しい王様を立てて、こちらが本物だと打ちあけるつもりですか?　しかし、いくらなんでも……」

ありありと非難のこもった調子である。

語っている旅人も同意したようだった。

「馬鹿げた猿芝居ですけどねえ。いくら馬鹿げていても、今のペールゼン侯爵のすることに面と向かって反対できるものは、コーラルには一人もいないという有様です」

少女は背中で続いている世間話に興味を覚えた。

国王が国を追放されるとは、しかもその国王が存命しているのに新たな国王を誕生させようとは、珍しい話だと思った。

「面と向かって、ということは。実際には王様の味方もまだまだいると……?」

「ええ。もちろんです。それどころかコーラル市民のほとんどは王様の帰りを待ちかねておりますよ」

「それはまたずうずうしい。一度は自分たちの手で追い出したというのにですか?」

「はい。そのへんの事情は、よそ者のわたしにはわかりませんが……今にして思えばコーラルの人たちは、あの王様は正当な王様ではないのだから、王冠を与えてはおけないのだという侯爵の言葉にうかうかと乗せられたわけですな」

「確か妾腹のお生まれでしたな」

「ええ。そこがね。デルフィニアほどの大国がいわば……傷物の王など戴けるかという理屈のようでしてね」

「しかしですよ。他に前の王様の血を引いた人は、一人もいなかったというではありませんか。悪いことはないと思うんですがねえ」

「ですから、色々と奇妙な噂が広まったわけですよ。なんでもあの王様はたいへんな悪人で、王座に座りたいがために先王の王子を密かに暗殺したのだとかなんとか……。大きな声では言えませんがね」

穏やかでない内容に、話し役の旅人はさすがに声をひそめる。しかし、聞き役の旅人は呆れたような声を漏らしていた。

「なんとまあ、正気ですか?」

「はい。常軌を逸しているというにも程があります。確かにね」

二人の旅人はこの噂の信憑性に明らかな疑問を持っている。そのくらい、あり得ない話だということだ。

「それでも多少は、もっともらしく聞こえたようですよ。王様は結局その噂に振りまわされて王宮から追い出されてしまったんですから。ですが、王様がいなくなった後のコーラルで何が起こったかといえば、結局は単なる首のすげ替えにすぎません。侯爵とその仲間は自分たちの都合のいいように政治をしたいがために、邪魔な王様を追い出して王宮の主に収まった。そしてそれに気づいた時には、もう誰も侯爵を頭とする改革派には逆らえないようになっていた。そういうことです」

「なるほど」

「王様の行方は今もって不明ですが、改革派は王様に莫大な賞金を掛けております。いち早く王様を発見して通報したものには、ボルギム金貨百枚を報酬としてくださるとか」

「金貨百枚！」

驚きの声があがる。

「それはまた気前のいいことで。よほど王様に帰って来られては困ることがあると見えますな」

「まったく。語るに落ちるとはこのことですよ」

二人の旅人はこっそりと楽しげな笑い声を立てた。

「まして、その後の改革派の行いは、どうも評判のよろしくないものばかりですからね。今お戻りになれば少なくとも大多数の市民は王様を歓迎するでしょう。ご無事であれば、の話ですがね」

少女はそ知らぬふりでいながら、注意深く背中の話に聞き耳を立てていた。そして無関心を装ってはいても、隣の男が同じくらいの熱心さで、この話に聞きいっていることも知っていた。

「しかし、あの王様もまたなんだって国を放り出して、ただ一人で逃げるようなことをしたのでしょうね」

「そこがペールゼン侯爵という人の恐ろしいところですよ。完全に王様を悪者にしてしまいました。それはもう徹底した極悪非道の人非人に仕立て上げたようですから」

「それをどうしてデルフィニアの人たちは、頭から鵜呑みにしたんですかねえ」

「さて。その場の勢いというものもありますし、それにその時はまだ、いきなり現れた妾腹の王様に多少の抵抗があったのも確かでしょう」

「では、今は？」

「それが風向きの変わること変わること。こんなことなら侯爵を支持するのではなかっただの、少なくとも今の侯爵よりは妾腹の王様のほうがずっとましだっただの。何度もそんな声を聞きましたよ」

「おやおや」

「まあ、よくあることですがねえ。それに改革派の中でも、せっかく協力して王様を追い出したのに、思っていたほど見返りは大きくなかったというのでね。内心おもしろく思っていない連中も結構いるようですよ。このままではどんなことになるやら」

「くわばら、くわばら。当分東へは足を向けないがよいようですな」

口では恐ろしがっていながら、二人は楽しげに興味たっぷりに笑っている。他国のことだし、上の連中のすることだ。見せ物としてはこれ以上の題材はないのである。

やがて旅人二人は立ちあがり、街道を西へ向かって歩き始めた。

しばらく座り込んでいた男も立ちあがり、これは二人の旅人とは反対の東へと足を向けた。

少女がその後を追う。

男は妙にむっつりと足を運んでいる。

少女はとことこと、その後を追っている。

「ねえ」

「……………」

「フェルナン伯爵って、知ってる人？」

「父だ」

少女は驚いて立ち止まった。

男は苦悩の表情でこれも足を止める。

「ペールゼン。そこまで思いきったか」

決意を秘めて男は天を仰いだ。

その顔を少女が仰いでいた。

「ウォルはじゃあ、お父さんを助けに行くの？」

「当たり前だ。見殺しにできるか」

「でも、お父さんは、今のコーラルで一番えらい人に敵だと思われてるんでしょう？前の王様の味方だったたっていう理由で。その中を一人で突破して助ける気？」

「ついて来いとは言わん。言ったはずだ。敵も多いとな」

「そっちのほうこそ聞いてないな。手伝うと言ったはずだよ」

ウォルは、今現在のところただ一人の、風変わりな味方を眺めた。

体も小さく、手足も細い。

愛らしい顔だちに、なめらかな白い肌。本当なら自分が守らなければならないような頼りない存在だ。

しかし、この少女はやる気である。

緑の瞳がきらきら輝いている。

「方策はできてるの？　なにしろぼくは、こっちの世界は何がどうなってるのかさっぱりなんだからね。当のコーラルの地形さえわからない。お父さんがどこに捕まってて、どういう見張りがついてて、警備態勢がどうなってるのかぐらいはわからなきゃ、助けようにも手も足も出ないよ」

「確かに。それよりまず、どうやってコーラルに入るかが問題だ」

「あとどのくらい？」

「国境まではあと二日。しかし、そこからコーラルまでは順当にいったとしても七日の道のりだ。そこまではいいとしても、顔を知られている俺が、どうやって市内に入り込むかだな」

「顔、知られてるの？」

「ああ。今はともかくデルフィニアへ入ればな。看板を下げて歩いているようなものだ」

「やれやれ。それじゃあ、まず変装からなんとかしなきゃ」

「問題はまだある」

男は難しい顔である。

「捕えられている場所として考えられるのはコーラル城以外にない。だが、コーラル城は人知れず潜入するには最悪の場所だ。背後にパキラ山脈を従え、前方には三重の城壁。大陸で一番美しいだけでなく、どんな攻撃を掛けてもびくともしない難攻不落の名城だからな」

「そうかな？　案外そういうところに限って小さなものは見落とすもんだ。大軍で陥とすのは無理としても、気づかれないうちに人ひとり通るくらいなら、できるんじゃないのかな」

男はここまで来ても少しも躊躇《ちゅうちょ》しない少女に、あらためて驚きに似たものを感じていた。

「おまえ。本気でコーラル城に忍びこもうというのか？」

「お父さんが殺されてもいいの？」

少女がやり返す。

「ペールゼンが恐ろしくはないのか」

「知らない人だもん」

けろりと言う。こういうところは無邪気な子どもそのままの風情だった。しかし、ほんのわずかなつきあいでも、それに騙されてはいけないことくらい、わかっている。

「デルフィニアは中央の華と呼ばれ、大陸全土でも五本の指に数えられる強国だ。ペールゼンはその国の今や事実上の最高権力者だぞ。デルフィニアそのものを敵にまわすことになる」

「そう言われてもデルフィニアがどれだけ大きい国か知らないから、やっぱり怖がりようがないな」

少女はあっさりと言い、男を見つめてにこりと笑った。

「ぼくはさ。ここで何をすればいいのか、ずっと考えてた。何でこんな体になったのかわからないけど、それに何の因果かも知らないけど、こうして来た以上、迎えに来てもらうのを待っているだけなんて芸がないしね。これは案外、きみの手助けをしろっていうことなのかもしれない」

男も少女を見下ろした。

すでに一度命を救われた。喉から手が出るほど強力な味方が欲しいと思っていた。

「では誰がおまえを遣わした?」

「こっちの世界の運命の神様なんじゃない?」

全然信じていない口調で少女は言った。

「でなければきみが信じている神様でもいい」

「俺は……どんな神も信じない。唯一、闘神バルドウだけは別だがな。剣を取るものすべてが信じ、祈りを捧げる神だからな」

「勝利をお祈りするの?」

「ああ。初陣から欠かしたことはない」

「じゃあ無事にお父さんを助け出せますようにってその神様にお願いして、さっさと河を渡ろう」

あまりに楽天的な言いぐさに、男は一瞬、この少女を過大評価しすぎたかとさえ疑ったものだ。

「ことの重大性をわかっているのか、おまえは?」

「わかってるさ。一日も早く助けなければきみのお父さんの命にかかわるってことがね」

男は言葉に詰まった。

その通りだった。

「深刻に悩む暇があったらコーラルまで安全に近づく方法でも考えて。それからお城のことを聞きたいな。何かいい方法を思いつくかもしれない」

男のほうが驚いて一体どうするつもりか問いただそうとした時、少女が急に身構えた。

「なにか来る」

男も身構えた。今までの経験でこの少女の耳が並の人間の比でないことはわかっている。

そこは雑木林と丘との境目になっていた。

間には動物が踏みしめたような細い道が長く伸びている。

春の日ざしがやわらかく緑に降りそそぎ、小鳥がさえずっている。

平和そのものの光景に見えたが、少女は腰に手をやったまま動かない。

男は黙ってその後ろに立った。

しばらくは何の変化もなかったが、やがて、雑木林の中から完全武装の兵士が幾人も走り出してきたのである。

少女は軽く舌を鳴らした。

「確かに、おまえ、相当顔が売れてるみたいだな」

また口調の変わった少女に、男はかすかに笑って言った。

「リィ。おまえ、本当に自覚はないのか」

「ぬかせ。おまえのほうこそ、いったい何をやらかした？　旅の自由戦士一人を襲うにしては念が入りすぎてるぞ」

低く会話を交わしている間にも、現れた兵士たちは油断なく二人を見据えている。

八人ほどいた。皆、同じ風体だった。それもかなり整った身なりである。同じ主人に仕えているか、同じ組織に属している証拠だ。

その中から指揮官らしい身なりの男が進み出、男に向かって丁重に頭を下げた。

「お初にお目にかかります。デルフィニア国王、ウォル・グリーク陛下ですな？」

少女は驚きの瞳を連れの男に向けたが、言葉にはしない。黙って聞き役を務めていた。

「いっそのこと、王家乗っとりを企んだ逆賊の小せがれさまですな、とでも言ったらどうだ」

慇懃な問いかけに対し、皮肉たっぷりに男は言いかえした。

「ここでお会いできたのは誠に幸運でしたな。陛下には、この先、どちらへお運びになられるご所存でありましょうか?」

「どこもかしこもない。デルフィニアへ戻る」

四十がらみのその男は、さも困り果てたような顔つきになった。が、細い眼は白く光っている。

「それは困りましたな。あなたさまにコーラルへ戻られては、やっと落ちつきを取り戻している市内が、またまた混乱の只中に突き落とされますぞ」

「その混乱に手を貸しているやからが何を言う。ペールゼンの陰謀に荷担している不届き者が何を言うか!」

一喝したが、曲者の集団は表情を変えもしない。

「陛下。あなたさまが国内へお戻りになることを望まぬのは、我々ばかりではないのです。他でもない。デルフィニアそのものが、あなたさまのご帰還を望んではおりません。国内はペールゼン侯爵さまの統治のもと平穏にあり、近々、新国王も誕生いたします」

「ほう。おもしろい。国王の存命中にそんな手品ができるものなら、やってみせてもらおうか。ほかの誰が知らずとも、オーリゴの祭壇の前で王冠をかぶる偽王だけは、自分が道化であることを思い知るだろうよ」

「道化は、どちらでございますかな?」

一人進みでて、ウォルと対話している中年の指揮官の口調に冷ややかさが混ざった。

「魔の五年間がすぎ、王冠を継ぐお方も定まり、これでようやく元通りの豊かなデルフィニアが戻ってくると我らが安堵したそのさなかに、どこからともなく現れて王冠を盗みとっていった不届きな盗人は。その資格も持たぬ身で、ぬけぬけと王冠をかぶり、国民すべてを欺いてみせたのは、どこのどなたでございましたかな?」

「初めからそう言っておればよいものを……」

男は不敵に笑った。

「能書きなどたれている暇があったら、さっさと用件を言え」

「では申しあげる。今より速やかにこの地を立ち去り、北の荒野なり、南の諸島なりに身を隠していただきたい。二度とデルフィニアには姿を見せぬように、お願いいたします」

「ほう? だいぶ風向きが変わってきたな。この半年、性懲りもなく俺の命を狙い続けたあげく、賞金まで掛けておきながら……」

「それもこれも、あなたにデルフィニアへ戻ってこられては困るがゆえです。すでに、あなたの即位は無効であったと誰もあなたのことなど覚えてはおりません。国民はする手続きも済み、後は真の国王のご即位を待つばかり。となればこの上、あなたの命を狙ってもはじまりますまい」

「これ以上俺を狙って無駄に兵士を死なせることもありますまいの間違いだろうが」

男は太く笑って、しかし、頷いた。

「そういうことなら、歓迎されていない母国へわざわざ戻ることもないな。——リィ。いくぞ」

男は悠然と歩き出し、少女も続いた。

今までの進路に背を向けてである。当然、国境からは離れることになる。

突如現れた一団は微動だにせず、遠ざかっていく二人の姿を見送っていた。


「いったいどうなってるの?」

さすがに緊迫した声で少女は聞いた。

背中に突きさきさるような視線を感じながらも、二人とも一応は悠然と歩いていた。しかし、顔はかなり緊張している。

男は雑木林の中へ入り込んでいた。そこは人の出入りがあるらしく、粗末ながらも広い道がつけられている。

突如現れた兵士の一団はすぐに立ち木の蔭に見えなくなった。彼らから充分離れたのを確認してから少女は真剣な口調で問いかけた。

「ウォル。本当に、本当の王様なの？　デルフィニアの？」

「まあ、な」

「だってさっきはフェルナン伯爵がお父さんだって言ったじゃない」

「その通りだからな。実の父以上の、父だ」

男は足を止めて、通りすぎてきた道を窺《うかが》った。

少女も同様にして気配を窺っている。

追ってくる気配はない。姿も見えなくなっている。

「あの連中、あきらめたと思う？」

「おまえは？」

少女は首を振り、男も頷いた。

「だろうな。俺が本気で国を捨てたとは思っていないだろうからな。また来る」

「わかってるなら、逃げるなりなんなりしなきゃまずいじゃない」

「そうもいかん」

男は深い息を吐き、少女を誘って道を外れた。手近な切り株に腰を下ろす。

「俺は、なんとしてでもコーラルへ入らなければならん。どうせ一戦交えねばならんのなら、今、撃退しておくべきだろうな」

少女は男の正面に立ち、じっとその顔を見つめたのである。

「何人で来るかもわからないんだよ？」

「手伝うと言わなかったか？」

白い小さな顔を見上げながら男は笑いかけた。

本気ではないにせよ、子どもを相手にこんなことを問うとは自分でも驚いていた。

少女は難しい顔で腕を組んでいる。

「さっきの旅の人たちの話してたこと、本当なの？」

「どこの部分がだ？」

少女は男の顔を見つめながら慎重に言った。

「とりあえずきみが正義で、問題の侯爵が悪だということにする。その上で言う。その侯爵がどんな悪だくみをしたのかは知らないけど、きみが本当にデルフィニアの王様で一番偉い人だっていうんなら、どうして自分の国を捨てて逃げ出したりしたのか。それに命が危ないとわかってるのに、どうしてたった一人で国へ戻ろうなんて馬鹿なことをしようとしてるのか。そういうことだよ」

「仕方がないのさ。他に誰も味方をしてくれるものがいなかったのでな」

「そこだよ。いくら政権争いに負けたとしても、王様は王様だろ？　王座を追われることになっても、お供の人が大勢つくもんじゃないの？　普通ならさ」

感情的になることもなく、ひとつひとつ注意深く述べた少女に男は満足の笑みを浮かべた。

「いかにもその通りだ。普通ならな」

「もうひとつ確かめておきたいのは、きみと、そのペールゼン侯爵と、正しいのはどっちなのかってことだ」

男は、あっさりと言った。

「世間の評価では圧倒的に正しいのはペールゼンで、俺は王座乗っ取りを企んだ大悪人ということになっている」

少女は腕を組んだまま、大きくため息をついたのである。

もう少し憤慨してくれなければ、無実の罪で国を追われた悔しさというものを表現してくれなくては、どうにもこうにもやりにくい。

これでは、濡れ衣を着せられたことをおもしろがっているようではないか。

そんな少女の言いたいことは男にもわかったらしい。

「まあ座れ。次が来るまで少し時間もある。その間、事情を説明しようか」

「そうして。でないと頭がおかしくなりそうだ」

近くの石にちょこんと腰を下ろし、少女は首を傾げて男の顔に見入った。

「変な話だ。偉いのと威張るのが仕事の王様には、とても見えないけどな」

男も笑い声を立てる。

「その通りだ。さっきの兵士が言ったように、俺はもともと王冠になど縁のないはずの男だ。つい二年前までフェルナン伯爵の息子として伯爵の領地、デルフィニア北部のスーシャで過ごしていた。都会とは縁のないひなびた田舎でな。そこが故郷だ」

少女は納得したように頷いた。

「どうりで。ずうっと王宮暮しをしてきたにしては変だと思った。木の上でも嵐の中でも寝られる王様なんて、おかしいもんね」

「そうさな。スーシャではそんなことはよくあることだ。しかし宮廷ときたら、特に国王の生活ときたら、はっきり言って馬鹿ばかしいくらい無駄だらけだ。一風呂浴びるのに女官が五人もついてくるわ。体を拭いた布は一度で処分されるわ。食事にしたところで、厨房から食堂までの間にすっかり冷めて食えたものではない。おまけにどこへ行くにも御供がぞろぞろとついてくる」

「口の悪い王様だ」

少女が冷やかした。

「俺のような王ばかりではないさ。とくに先代のドゥルーワ王はな。今では明賢王と呼ばれているが。確固たる王としてデルフィニアに君臨し、数々の戦役をくぐり抜けた偉大な国王だった」

先代ということはこの男の父親ということだ。

しかし、男は自分の父親はフェルナン伯爵だという。

疑問を覚えた少女だが、黙って相手の言葉を聞いていた。

「その先王が急にお亡くなりになったのは、今から七年前のことだ」

「七年？　じゃあそのときウォルは……」

「十七だった」

「それで跡を継いで王様になったわけ？」

「いや、ドゥルーワ王には、れっきとした王子が二人いた」

「うん」

「その当時二十歳のレオン王子と八歳のエリアス王子だ。よほどのことがない限り、王冠は早い者勝ちだからな。当然、年長のレオン王子が跡を継いでデルフィニア国王になるはずだった」

「うん」

「ところがだ。先王の喪も明け、準備も整い、戴冠の儀を執り行おうという、そのわずか一月前のことだ。レオン王子は狩りの途中に落馬され、その傷が元であっけなくお亡くなりになった」

「あらら。で、ウォルが……?」

「いや、次はエリアス王子だ。幼少だろうと赤子だろうと、直系男子という事実は揺るがしようがない。もっとも八歳の少年王では、内外に問題の多いこの時期に、王として立つには荷が重いのではないかとも言われたが、ペールゼン侯爵が後ろ盾になり、政治のほうは心配ないということだった」

「うん」

「ところがだ。エリアス王子はもともと病弱な方だったのだが、レオン王子が亡くなられてから、わずか半年後に、病をこじらせてお亡くなりになった。おりしもレオン王子の葬儀が済んだばかりのことだ。これでやっと戴冠式をと望んでいた国民は、またおあずけを食わされた」

「よくよく不幸が続くねえ。で、ようやくウォルに順番が回ってきたわけだ」

「いいや。ドゥルーワ王には王女も二人いた」

「へえ？　女王さまでもいいんだ」

「ああ、大事なのは血統だからな。直系の子どもがいる以上、女だろうと、傍系の男子よりは上の継承権を持つ。これが国王に成人した男の兄弟でもいれば、話は別だったろうがな」

「一人もいなかったんだ？」

「ああ。弟殿下が一人いらっしゃったが、ドゥルーワ王よりも早くお亡くなりになっていた。その子どもは姫君ばかりだったしな。それなら実の娘のほうに継承権があるに決まっている」

「うん」

「その時点で国王不在がすでに二年続いていたからな。今度こそ新国王を誕生させようと、デルフィニアは国を挙げて、この女王を歓迎しようとしたのだが……」

「まさかと思うけど……」

いやな顔で少女が口を挟んだ。

「その王女さままで死んだなんて言うんじゃないだろうね」

男はゆっくりと重々しく頷いた。

「しかも、しかもだ。姉王女が亡くなって、すぐにだ。たった一人残された妹王女までが倒れられて、一年、病の床についたあげくに……」

「死んだの？」

少女は緑の眼を丸くしている。

「ちょっと待ってよ。それがいつの話？」

「先王が亡くなって三年目だった」

「ていうと、なに？　お父さんの王様が死んでからたった三年の間に、レオン王子とエリアス王子と王女が二人？　四人も死んだっての⁉」

「それがデルフィニアの魔の五年間だ」

男は沈鬱な面持ちで言った。

国民すべてにとって悪夢としか呼べない年月だった。王が亡くなり、王位を継ぐはずの子どもたちが全員、その後を追って逝ってしまったのだ。

啞然としながらも少女が首を傾げる。

「どうして五年？　三年じゃないの？」

「先王の子どもたちが皆、世を去って三年。そのあと二年、次の国王を誰にするかでもめたのでな」

「その間ずっと王様は、なし？」

「そうだ」

「よくまあ内戦にならなかったもんだ……」

男も頷いた。

「その危険を回避してみせたのがペールゼンだ。国内の貴族をうまく統制し、内戦どころか、タンガ、パラストをきっちりと抑え、口出しを許さなかった。以来、諸侯の間では圧倒的な支持を得ているわけだ」

「だけど、いくらなんでも、それって……」

少女は愛らしい顔に露骨な嫌悪の表情を浮かべて言った。

「焦げ臭くない？」

「焦げ臭いどころか、山火事並みに匂うぞ。ぼうぼうだ」

「うん」

「ちまたでは、この国は呪われているのだとか、王冠を手にしようとするものは皆たたられて死ぬのだとか言われていた。俺はあまりそういうものは信じられないたちだが、まったくおまえのいう通り、いくらなんでもこれが偶然であるわけがない。何かがあるのだと思っていた。当時の俺は田舎のスーシャにいて、遠い都の話として聞いたわけだが、自分の国のことだ。気が気ではなかった」

「うん」

「王国に王がいなくてはそれこそ話にもならんからな。そして直系の子どもがみんな不慮の死を遂げた以上、近い血筋のものから次の王を選ぶことになった」

「まあ、当然だろうね」

「真っ先に候補にあがったのが、さっき旅人が話していたが……ドゥルーワ王の妹アエラ姫の息子、正確には、姫が国内の貴族に嫁いで産まれた子どもだ」

少女の布で覆った頭がちょっと傾げられる。

覚えたての、この辺りの社会構造によると、血筋による身分や階級が重要視されるはずだった。

「はい、質問。もとは王家のお姫さまでも貴族に嫁いだってことは、その子どもはひょっとして、王族じゃないんじゃないの？」

「いかにも。アエラ姫は貴族に嫁いだとはいえ、国王の妹という事実に揺るぎはない。堂々と王族としての権利を主張できる。しかし、その子となるとそうはいかん。血のつながりがあるのは確かだが王族とは認められん。あくまで姫の嫁いだ公爵家の息子になる」

「それじゃあ逆に平民の女の人が王族と結婚したら、どういうことになるのかな?」

男はちょっと眼を丸くした。

「まず、ありえんことだが……、その女性本人には王族としての資格が認められるだろうな」

「つまり男のほうの家が基準になるわけだ」

「それと正式な結婚をしているかどうかだ。オーリゴに祝福されているか否かでは、だいぶ差があるからな。愛妾やその子は、主人の寵愛を受けられても、社会的にはなんの権利も主張できない。そういうことだ」

「わかった。いいよ。話を戻して」

「うむ。どこまで話したかな?」

「アエラ姫の子どもが次の王様の候補にあがって、なのに弱い継承権しか持っていなかったってところまでだよ」

「そうだ。それが問題になった」

公爵家の総領とはいえ、単なる貴族の子息を国王に迎えようというのである。

冒険であると同時に、国家にとっては重大な譲歩であることは言うまでもない。

「ええと、あと近い王族は……王様の弟の娘たち。死んだ王様にとっては姪にあたるお姫さまたちだよね？　それだけだったのかな？」

「なかなかわかりがいいな。その通り。しかもまだ幼い。比べるとバルロは……、アエラ姫の息子は有能な騎士としても、国に忠実な人物としても広く知られていたからな」

「ははあ。知名度を取ったわけだ」

「いや、そう簡単にはいかなかった。何と言っても臣下筋だ。先王の姪に当たる幼い姫を王に立てたほうがよいのではという勢力もあったからな」

少女はため息をついている。

「なんてまあ、めんどうくさい……」

「こればかりはな。とりあえず適当なのをというわけにはいかないからな」

国王というものの存在が一国にとってどれだけ重い意味を持つものか、言葉は少なくとも、男の真剣そのものの口調が、何よりも雄弁に語っている。

「俺も騎士バルロのことはよく知っていた。その武勇と忠誠心は有名だったからな。よい王になるだろうとも思った。デルフィニアの謎の呪いが、あの騎士の上にだけは降りかからねばよいと思っていた。ところがだ」

「うん」

「魔の五年間がすぎて、騎士バルロがデルフィニア国王になることがほとんど正式に決まったある日のことだ。父が……フェルナン伯爵が、いきなり俺の前に膝を折って、実はあなたさまはドゥルーワ王の実のお子さまです。と、こうきた」

「はあ⁉」

男は苦笑しつつ額を押さえている。

「なんの冗談かと思ったぞ。冗談など言う父でないことは、それまでの二十二年でよくよく知りつくしていたはずなのにな」

「まさか。それまで……知らなかったの？」

男の笑みは何とも複雑なものだった。

「知らなかった。知りたくもなかった。実の父と信じて疑ったことさえなかった。幼いころに死んだ母を実の母だと、その時まで信じていたともさ」

少女は黙っていた。

下手な慰めなどを口にしても仕方がないとわかっていたからだ。

それまでの自分自身が木端微塵になってしまった男の心境は察するにあまりある。

「父が言うには、ドゥルーワ王がたわむれに手をつけた侍女の産み落とした子どもが、この俺なのだそうだ」

「だって。普通、王様の子どもなら、妾の子だろうとなんだろうと、ちゃんと王様の子どもとして育てられるんじゃないの？」

「その通りだ。国王には愛妾など何人いてもおかしくない。だが、ドゥルーワ王の場合は話が違った。生涯、表向きの愛妾は持たなかった国王だからな」

「それって、珍しいことなんだ？」

「珍しいどころか、ほとんど異常だ。たとえばオーロンには今のところ五人の愛妾がいる。さすがにきちんと上下の格を設けて秩序を整え、混乱が起きるのは避けているが、他の王も似たようなものだし、南国の王の中にはもっと盛大に……なんだ」

相手がほんの少女なだけにためらったのだが、少女のほうが後を継いだ。

「後宮をつくって女の人を大勢囲ってる？」

「よく知ってるな」

「人間はそういうの好きだもんね。特に偉くなった人間の男はさ。次から次へとよくまあ厭きないもんだと思うよ」

からかい調子の言い方である。特別嫌悪も恥ずかしさも憧れも感じないらしい。

この年頃の少女としては珍しいことだ。

「ウォルはどうなの？　王様やってる時、やっぱり女の人を囲ったの？」

「馬鹿な。そんな暇があるものか」

「あ。焦るところが怪しい。隠さなくてもいいじゃない。別におかしなことでもないし、だいたい人間の男はそういうふうにできてるんだから」

「おまえな。人をさかりのついた犬のように言うな」

「ぼくから見れば似たようなもんだよ。どっちも一年中発情してる」

冷ややかな口調である。

大人びているわけでも、割りきっているわけでもない。かといって少女特有の潔癖から、男の性状に許せないものを感じているというのでもない。

もっと痛烈な、もっと手厳しい、深いところを鋭く抉《えぐ》る批判だった。

男はあらためて知らないものを見る思いで少女を見つめたのである。

深い緑の瞳。

男の知っている少女や少年とはまったく違う光を浮かべている瞳。

なぜか焦って、自分でもよくわからない弁護をしていた。

「しかしだな。その……発情というのはむろん問題外だ。問題外だが、しかし、人を愛しいと思ったらそうなるのは必然というものでだな」

「当たり前じゃない」

けろりと言われて男は額を押さえてしまった。

「だったらそう腹を立てることもあるまいに」

「別に怒ってるわけじゃない。ただ、人間の男の手当たり次第の所構わずの無節操の、ついでに無神経は好きになれないっていうだけだ」

よくまあそこまで並べられるものである。

男は思わず苦笑していた。

「よほどよくない覚えがあるらしいな」

「おうよ。そっちで勝手に欲情しといて『おまえだっていやじゃないんだろう』だの『かわいがってやろう』だのと言われてみろ。歯の二、三本もへし折ってやらなきゃ割りがあわないぞ」

自業自得とはいえ、これまでこの少女の見た目に騙された男たちに心から同情を覚える。

「頼むから俺の歯は折らんでくれよ」

少しばかり薄ら寒い思いをしながら言うと、

「そっちこそ、おれにおまえの歯をへし折らせるようなことはするなよ」

と、言い返してきた。

男は笑って、

「ならば一安心というところだな。なにしろ俺は昔からそういうことにかけては朴念仁でな。友人にもよくそれでからかわれた。まして宮廷の官女などにはとうてい歯が立たんよ」

「じゃあ、前の王様も朴念仁だったから、一人の愛妾もいなかったの？」

「いや。違う。持ちたくとも持てなかったのさ。そもそもドゥルーワ王には二人の妃がいたのだ」

少女は目線だけで、どういうこと？　と訊いてくる。

「むろん同時にではない。初めの王妃はこのパラストの王女だった。レオン王子とルフィア王女を産んで死別したので、先王はタンガの王女を二度目の妃に迎え、その王妃が、エリアス王子とエヴェナ王女をそれぞれ設けたわけだ」

「それが何か意味があるわけ？」

「タンガとパラストは犬猿の間柄だ」

男は断言して、

「間にデルフィニアを挟んで睨みあっているようなものだ。ドゥルーワ王が二度目の妃をタンガからもらうことを決定した時には、パラストは正式の文書で抗議したくらいだからな」

「ははあ……」

「反面、跡継ぎのレオン王子が亡くなった時、タンガは小躍りして喜んだらしい」

「つまり……エリアス王子が、自分たちの血を引いた王子がデルフィニアの王様になれると思ったから？」

「そうだ」

「だけど、その王子まで死んじゃったってことは……」

「そう。どちらの国も自分たちのもくろみは見事におじゃんになったわけだ」

「はあ……」

「話を戻すが、当時のデルフィニアは両国の板ばさみになって中立を保つのが精一杯。どちらの国とも揉めごとは起こせないような状態だった。だから先王は両国に気がねして一人の妾妃も持たなかったのさ」

「もうひとつ質問。その三国の力関係はどうなってるの？　一番強いのはどこ？」

「先王の時代にはデルフィニアだった」

「それなのに、そんなに気を遣ったの？」

「だからこそ、先王は名君として名を残した。政治、軍事ばかりでなく、外交にも優れた才能を発揮した人だ。俺が産まれたのは、ちょうど先王がタンガ王女との縁組を整えようとしていた矢先のことでな。おそらく先王は、これ以上の問題が起きるようなことは避けようと考えたのだろう」

「いくら王様だからって……」

少女は不機嫌な顔である。

「そういうのって好きじゃないな。それじゃまるで厄介払いも同然じゃないか」

「ある意味では、そうだ」

「………」

「だが、先王は先王なりに、俺の行く末を考えておられたと父は言うのさ。宮廷での醜い権力争いに巻きこませるくらいならば、もっと健康的な環境でのびのびと成長することを望んでおられたと。ある日、父は先王に密かに呼びつけられて俺を託され、実の子として育てるようにと命じられたのだそうだ」

「じゃあ、お城の中でも、ウォルが産まれたことは誰も知らなかったんだ？」

「二、三の腹心を除けばな。先王は、どのようなことがあっても、俺に出生の秘密を教えてはならないと厳しく父に言いふくめたそうだ。あくまでフェルナン家の息子として育てるようにと……」

「でも、それじゃどうして……？」

二十年守り続けたはずのその秘密を、なぜよりにもよって混乱の只中に打ち明けるようなことをしたのか。

男は深いため息をついた。

「父は膝を折ったまま、このことは一生胸に秘めておくつもりでしたと、そう言った。しかし、今、この国に誕生しようとしている国王は、血の濃さにおいては俺に大きく劣る。亡きドゥルーワ王のご命令に背くことではあるが、俺という直系の男子がいることを知りながら、甥にすぎない国王の誕生を拝むことは、デルフィニア国民としてどうしてもできないと……そう言うのさ。いかにもあの親父さまらしい」

「むずかしいもんなんだねえ。それでウォルはどうしたの？　コーラルへ乗り込んでいって王様になったの？」

「とんでもない。俺は王様なぞやりたくはなかった。だいたい二十数年もの間、田舎貴族の息子として育ったんだぞ。いまさら高貴な血がどうの、常ならぬご身分がどうのと言われても、とても自分のこととは思えぬわ」

少女は首を傾げて緑の瞳でじっと相手を窺い、笑みを浮かべた。

「そうかなあ？　ほかの王様は知らないけどさ、いいせんいってると思うよ。貫禄あるし、くだけてるし。ちょっと庶民的かもしれないけど、それだって考えようによっては一般市民に受けるだろうし。だいたい王様なんて、さっきのペールゼン侯爵じゃないけどさ、どうしてもやりたいなんて人にやらせると、のぼせあがって夢中になって、ろくなことにならないもんだ。そのくらいならむしろ、あんまりやりたがらない人にやらせたほうが結果的に一生懸命頑張って、いい王様になるんじゃないのかな」

「おもしろい逆説だ」

男も笑った。この少女といると、不思議と気持ちが落ちつくのだ。

今まで誰も自分に向かって、これほど素直な眼を向けてくれたことはないせいかもしれない。

「父はな、なすべき義務を果たされませと、俺に言った。騎士として、国民の一人として、そしてドゥルーワ王の今やただ一人の息子として、何をなされればよろしいのか、この国に今何が必要であるのか、おわかりでありましょうと」

「わかっちゃったの?」

「わかってしまった、わけだ。青天の霹靂《へきれき》だったがな。父の言葉が本当なら、俺には亡き先王の名誉を汚すことはできなかった。たとえ今日までの父と他人になるのだとしてもな」

少女は難しい顔で首を傾げた。この考え方は理解しにくいようだった。

「でも。それじゃ大騒ぎになっただろうね」

男はうんざりと手を振った。

「そんななまやさしいものではなかったぞ。ペールゼンをはじめとして大貴族たちは卒倒しそうな顔つきだったし、アエラ姫はかたりだの泥棒だのと公式の場で呼ばわってくれるし、宮廷の婦人たちは俺が田舎育ちなのをさんざんに笑いものにしてくれたしな。貴婦人というものに対して抱いていた夢が、あれで見事に打ち砕かれたわ」

少女は小さく吹き出していた。

この男は口で言うほどめげてはいない。逆境に強い人間なのだ。

「でも、その王様候補だった人はどうしたの？」

「俺を歓迎してくれた数少ない人々の中で、もっとも好意的に俺を迎えてくれたのが、そのバルロだったぞ」

男の瞳がはじめて和やかな色を浮かべた。

「あの騎士バルロが、なんと俺の従弟《いとこ》だというだけでも驚いたのにな。その従弟だけが、俺に対して即位すべきだと断言してくれた。俺がドゥルーワ王の直系の男子なら、たとえ非嫡出子といえども、甥にすぎない自分より上の継承権を持っているとな」

「ずいぶん、できた人だね」

「できているというか、石頭というか……。アエラ姫は息子のこの発言に真っ青になったらしいがな。頑として態度を変えなかったらしい」

アエラ姫にしてみれば、自分の息子に王冠が与えられるところだったのだ。それを当の息子がいらないと言ったのだから、さぞかし悔しい思いをしたに違いない。

「またそのバルロときたら。母がこう言ったとか、ペールゼン侯爵がこう言ったとかいうことを全部俺に筒抜けにしてくれてな」

「はあ……?」

緑の瞳が丸くなる。

男は喉の奥で笑っていた。

「国家乗っ取りを企む不忠者どもが毎日うるさくてかないませんと、けろりと言うのだからな。愛すべきいとこ殿だ。俺は一人の兄弟もいなかったから、弟ができたようで嬉しかったぞ」

「それで、戴冠式をすませたの?」

「ああ。一年前、すったもんだのあげくにな。今の俺は正真正銘のデルフィニア国王だ」

「だったらどうして逃げ出したりしたの？」

「ペールゼンの陰謀だ」

男の口調が変わった。明らかに怒りがこもっている。

「先の旅人も話していたが、陰謀としか言いようのない手口だった。こともあろうに……レオン王子にはじまってドゥルーワ王の王子王女を次々と謀殺したのがこの俺だと、いや、俺を王座に据えたいがためにフェルナン伯爵がやったに違いないと噂をばらまいた。でなければこんなに都合よく前王の庶子が現れるはずはないというのだ。馬鹿げた話よ。その折の父はスーシャをほとんど離れたこともなく、まれに王宮へ出向くことはあっても、単独で王子王女に近づけるような機会など皆無だったのだぞ。それを一番承知していたのは先王の代から仕えているペールゼンだろうに、ぬけぬけと俺と父を罪人にしたてあげた」

「それだけきみの存在は寝耳に水の大事件だったってことだよ」

「だろうな。だがそれなら、俺に王冠など与えねばよかったのさ」

確かにその通りだ。

政治をするものにとって無用な敵をつくることは一番の愚である。仮にも先王の代から仕えている侯爵がその初歩を知らないわけがない。

ペールゼンは初め、この男をうまく丸めこみ、思い通りに操るつもりだったのではないだろうか。

それなのに叛旗を翻し、国外へ追放するという暴挙に出たということは、可能性としてはふたつある。

「ウォル」

「なんだ」

少女は、ゆっくりと言葉をつくった。

「きみとお父さんに対する侯爵の言い分は……完全に侯爵のでっちあげなんだね？」

「あれ以上のでっちあげがあるものか」

男の黒い瞳に怒りが走った。

「父は……、二度と父とは呼んでくれるなと俺に言ったのだぞ。今日より自分はあなたさまの臣下。忠実なしもべでございますと……。なんなりとお命じくださいと……。二十年実の父だと思っていた人がだぞ‼」

男の怒りは少女に対するものではない。しかしペールゼン侯爵に対するものでもない。むろん、父伯爵に対するものでもドゥルーワ王に対してのものでもない。

親子の間を引きさいた運命に対しての怒りだった。

少し息を落ちつけて、

「あの人には野望など抱くことさえ無理だ。それは俺が一番よく知っている」

「お父さん、頑固なんだ」

「ああ。昔から大変な石頭だ。一度こうと決めたらもう……てこでも動かん」

「でも、きみの、王様の後見役だったんでしょ?」

「でなければ即位など絶対にしないと、だだをこねたからな」

だだをこねる。という言葉に、少女は疑わしそうに男を窺いみた。

「その図体で……?」

「ああ、徹底的にごねた。見ていた女官長が後になって、よく似た頑固もの同士の親子喧嘩でしたこと、と冷やかした」

男は何か思い出し笑いをして、

「父は俺に向かって『陛下』の一点張り。俺は『父上』の一点張り。『それはなりません!』と父。『わたしの父上は父上お一人です!』と俺。とうとう親父は堪忍袋の緒を切らしてな。『この馬鹿ものめ! わたしがいつおまえにそのようなことを教えたか!』と怒鳴り声を上げた」

「あらら……」

伯爵はさぞかし自分の失言を、しまったと思ったに違いない。

男は本当に楽しそうに笑っていた。

「嬉しかったぞ。久しぶりに怒られて。あれでこそ親父さまさ」

「うん」

「ドゥルーワ王のことは……偉大な方だったからな。むろん尊敬していた。あの方を国王に頂いていることが国民の一人として誇りでもあった。この体にその血が流れていることはむろん誇らしく思う。だがな、俺は今でも自分はスーシャの、フェルナンのウォルだと思っている」

「それなら、王様なんかやりたくないんなら、そのバルロさんにゆずっちゃえばよかったのに」

男は首を振った。

「デルフィニア国民としてそれは言えぬのさ。できるだけ血筋正しい国王を迎えたいと思うのは当然のことだ。傍系の国王ではこの先の諸外国との外交にまでさし障りが出てくる。もっとも庶子にすぎない俺と、貴族の身分しか持たないバルロと、どちらの血筋が正しいのかは疑問だがな。そのための討議にさらに丸一年を費やし、結果、異例のことではあるが、何と言っても先王のご遺言でもあることなので、それなら俺をということになった」

「へえ」

「何事も国のため。そう思い、むしろ人身御供にあがったつもりで王冠をかぶったというのに……。ペールゼンめ。どうしても俺が目障りだったのだろうよ」

「………」

「半年前。ペールゼンは、偽物の王を王座から引きずり下ろすのだと大義名分をあげて城に攻め込んだ。王宮の警備にあたるものも、市内の主だった部隊も、すでにペールゼンの指揮下にあった。そんな動きがあることなど、日々の公務に追われて露とも気づかなかったのさ、俺は。危うく捕えられるところを、父と、バルロと、宮廷の数少ない味方が、身を挺して脱出させてくれた」

「………」

「今度は、俺が彼らを助ける番だ」

そのなみなみならぬ決意は少女にも充分呑みこめたのだが、二、三、慎重に質問を続けた。

「ペールゼン侯爵はきみの従弟を王様にしたいらしいけど、そのバルロって人はどうなのかな？　王様になるつもりでいるのかな」

男はきっぱりと否定した。

「あれは、俺が生きているかぎり、絶対に王冠をかぶろうとはしない人間だ」

「じゃあ、バルロって人はペールゼン侯爵と仲がいいの？」

「狐と狼くらいには仲良しだと思うぞ」

顔を合わせるなり大喧嘩を始める間柄を仲良しといえるかどうかはおいておくとして、少女は質問を続けた。

「ウォルはどう思ってる？」

「どう、とは？」

「そのペールゼン侯爵がきみを追い出した理由は、何だと思う？」

「デルフィニアだ」

男は断言した。

「あやつが狙っているのは、思うがままにしたいとよこしまな欲望に取りつかれている対象は、大国デルフィニアそのものだ。王冠をかぶることはできなくとも、名より実を取ろうと考えたのだろうよ」

「そこがおかしいじゃないか。だって、そのペールゼン侯爵がきみを陥れて、自分の思い通りにデルフィニアを動かしたいって思っているんならだよ？　それでも自分で王様になることはできないわけだから、自分の代わりの王様にはできるだけ仲のいい人か、おとなしく言いなりになる人を選ばなきゃ、意味がないじゃない？」

この指摘に男は苦渋の表情になった。

「俺が心配しているのも、そこだ」

「どういうこと？」

「新国王が誕生するのはいいとして、また何か、不幸なことが待ちかまえているのではないかということだ」

その言葉の意味するものに、少女も真摯な顔つきになる。

「つまりウォルは、デルフィニアの不幸な一連の事件の裏には、いつもペールゼン侯爵がいたと、そう思ってるんだ？」

「いつもかどうかはわからん。それにペールゼン一人のさしがねかどうかもわからん。だが、先王の崩御から魔の五年間を経て現在に至るまで、国王選びにはことごとく大貴族たちの利害が絡んでいたのだからな。自分に都合のよい王を立てたいと思うのは、政治をするものなら当然のことだろうよ」

ここに至って少女はほとほと呆れ果てた顔で、ため息をついたのである。

「あのさあ。そこまでわかっているんなら、何だってたった一人で喧嘩なんかふっかけるんだよ？　きみが王座を取りもどす条件は充分じゃないか。なのに本当に、他に誰もウォルに味方してくれる人はいないの？」

「味方はコーラルにいる。ペールゼン怖さに沈黙しているしかない市民が大勢な。従うふりをしながら機を窺っている貴族もいるはずだ。俺は彼らの決起を促しに帰る」

「だけど一人でまっすぐコーラルへ向かうなんて、侯爵のほうだってきっと待ちかまえてるよ」

「危険は覚悟の上だ」

男の決意には揺るぎがない。

「俺には正義を証明できるものが何もない。これはもう……俺の勘にすぎん。だからこそコーラルへ戻る。ペールゼンにやましいところがあるのなら、おまえの言う通り何としてでも俺を阻止しようとするだろうし、生かしてはおけぬはずだからな。必ず尻尾を出す」

ほとんど捨て身の戦法だった。

いちかばちかというより無茶苦茶である。

「ウォル。わかってる？　そのためにはきみが生き残らなきゃならないんだよ。侯爵はきみの口封じをして自分の都合のいいように話をつくることだってできるんだ」

「この半年というもの、俺に襲いかかってきた刺客は、質も数もかなりのものだったぞ」

男は不敵に笑った。

「スーシャにいたころは毎日山野を駆けめぐって、武術にあけくれていた俺だ。こんな生活は宮廷での暮しよりもよほど性分に合っている。もっとも、おまえに助けられた時は少々へたばっていたからな。助かった」

「今は大丈夫?」

「ああ」

少女が促すまでもなく、男も気づいていた。

腰を下ろしたまま、にやりと笑ってみせる。

「ちょうどいい具合に話が終わったところだ」

姿は見えないが雑木林の中に人の気配がある。

できるだけ音を殺して近づき、二人を取り囲もうとしているのだ。

しかし、二人とも腰を下ろしたまま動かなかった。

男は、連れの少女がこの状況下で少しも怯まないことに、あらためて感心していた。

その落ちつきが単なる虚勢でないこともよくわかっていた。

この男ほどの戦士になると、たとえ剣を交えずとも、その気配や、何気ないしぐさのひとつひとつから、相手の力量を推し量ることなどたやすい。

その彼の勘は、この黄金の髪をした緑の瞳の少女を、相当の腕前の戦士だと教えている。

見た目がどれほど華奢で頼りなくとも、男は自分の勘を信じることにしていた。

「囲まれるね」

落ちつきはらって少女が言う。

「らしいな」

平然と男が答える。

少女は男を見て、いたずらっぽく笑ったものである。

「ぼくを当てにしてるの？　それとも、一人でこの囲みを突破してみせるつもりなの？」

「おまえはどうだ。一人で切り抜けるつもりか。それとも俺を戦力として当てにしているのか」

曲者の影はだんだん濃くなっている。少女は何故か困ったように笑った。

「ウォルは、ほんとに変な人だ」

「俺のどこがそんなにおかしい？」

「ぼくを怖がらないじゃないか」

断定的に言った少女に男はつい口元を緩めていた。

「ほんとう。ずいぶん、いろいろ見せたのに、そうして平気な顔してる。変わってるよ」

「なあに、つまらぬ男の見栄というやつだ。それこそこの図体で、おまえのような小さな娘を怖がったのでは格好がつかん」

曲者の群れはおそらく十人を越えている。もっといるかもしれない。木立の影にちらちらして、はっきりと数を確認することができないのだ。

それでもまだ二人とも動かなかった。

殺気がじりじりせばまってくるのを承知の上だろうに、少女は不意に真顔で言った。

「デルフィニアの人たちって、案外ばかだな」

「なぜ？」

「どうしてペールゼン侯爵が嘘八百を並べてまできみを追い出したのか、わからないでいるからさ」

「俺にもわからんが？」

少女はおもしろそうに喉の奥で笑った。

「ペールゼン侯爵は馬鹿じゃないはずだ。むしろかなり頭はいいはずだ。馬鹿には一国の統制を謀《はか》ることなんてできないし、事実上デルフィニアの実権を握るところまできたんだから頭が悪いわけはない。その侯爵がこうまで徹底的にきみをいやがっているってことは、すごく意味深じゃないか」

「はて?」

「蔭で実権を握るつもりなら、誰が王様でも構わない理屈だろ。自分の言う通りに動いてくれる人形なら誰だって同じことだ。普通ならきみを懐柔して形ばかりの王様にして飾っておくのがペールゼンにとっての最善だったはずなんだ」

「ふむ。確かに」

「なのにペールゼンはきみを追い出した。つまり、きみは飾り物にしておくことさえできない正真正銘の馬鹿だったか、でなければ、とても侯爵の手には負えない本物の王様だったか。そのどちらかだってことになるんだよ」

男は眼を見張ってまじまじと少女を見つめ返した。

「正真正銘の馬鹿のほうかもしれんぞ」

少女はそれこそ意味深長に笑い、緑の瞳に悪戯っぽい光を浮かべて、足下を見た。

「だからさ。きみみたいな、ものすごく立派な王様がいやいやながらも王様やってあげようって言ってるのにさ。わざわざ自分たちで追いはらったりするんだから。馬鹿なことをしたもんだ」

少女は足もとの土をいじり、小石を拾い上げている。

男はじっと腕を組み、瞑想でもしているように少女のしぐさを見守っていた。

今しがたの言葉を反芻《はんすう》してみる。

ペールゼンがなぜ自分の追い落としを謀ったのかは、今まで考えたことがなかった。単に自分が邪魔だろうと思っていたのだが、少女の言うことは的を射ている。

名より実を取るなら、形ばかりの主君は誰であっても構わないはずなのである。

おもしろい娘だと思った。

その素姓が何であるのかは知らない。人ではないと自分で言った。だが、魔性ではない。まして邪悪なものでは絶対にない。

この魂は清らかに澄んでいる。

そこまで難しく考えなくても、男は単純にこの少女を気にいっていた。

それは少女も同じだったらしい。

刺客の一団は林に紛れて二人を完全に包囲したようである。それと同時に充分に態勢を整えた曲者の一人が大剣を抜きはらい、卑怯にも、切り株に腰を下ろしたまま彫像のように動かない男の後ろから、狙いを定めて斬りつけようとした。

が、その途端「ぎゃあっ！」と叫んで剣を取り落とした。

少女の手から放たれた小石が、襲撃者の右目に見事に命中していたのである。

その悲鳴を合図にするかのように、木陰に隠れていた刺客の一団がいっせいに飛び出してきた。

5

一風変わった二人の戦士が一息いれた時、足元には実に十四の死体が転がっていた。

さすがに少女も男も息を荒くしている。

しかし、二人ともまったくの無傷だったし、かなりの余力を残していた。

軽く息を整えながら少女が言う。

「強いね」

男への賞賛である。率直な本心からの言葉だった。

男は男で、あきれたように少女を見やったのである。

「誰のことだ?」

おまえはどうなのだと言いたかったのだ。

襲われるのを待ちかまえていた男は、曲者が飛び出してくると同時に切り株から飛び離れ、眼にも留まらぬ早業で端から切り伏せた。

男が巌のように強く揺るぎないのなら、少女は変幻自在だった。人間離れした脚力と跳躍力とで曲者を翻弄し、軽々と斬って倒した。

時間にしてほんの十分ほどのことである。

一人で五人を相手にするのと、二人で十人を相手にするのとでは、二対十のほうが生きのびる確率は圧倒的に高い。

もっともそれには二人の技倆がそろって抜きんでていることが絶対の条件だ。この時の二人は詳しい打ちあわせをしたわけでもないのに、互いのすること、しなければならないことが、ぴたりと呑みこめていた。

もしどちらか一人だけだったら、さすがにこの人数を相手にして生き残ることは難しかっただろう。

男も、少女も、この相手が命のやり取りをするに足る抜群の力量を備えた戦士だと、互いに確かめることになったわけである。

特に男のほうは、あの時見た少女の腕前が間違いのないものだったと改めて確信した。

「さて、王様。これからどうする？」

「それが問題だ。この分ではどんな野道にも兵を伏せているやもわからん」

そろそろ日が暮れようとしている。

パラストは平野部がほとんどだと男は言ったが、この辺りは違う。丘も多いし、森もある。起伏のある地形だ。それだけに通れる道筋は限られている。

「遠回りになるが、山を越えるしかあるまい。リィ、おまえ、山歩きは得意か？」

「もちろん。なんなら夜どおし歩こうか。そのほうが人目につかなくていい」

少女は頭を探り、白いきれを解いた。

「ふう……。いつまでもこんなものかぶってると、さすがに暑い」

戦ったはずみでどこか具合が悪くなったらしい。

髪を結っている細い紐を解くと、見事な金髪がさあっと流れて太陽に輝いた。

そうしていると紛れもない少女である。

それどころか男のような衣服を着せておくのなど惜しいような姿だった。

腰まで流れる金髪と白い手足、深い緑の瞳と額に置いた銀環だけでも絵になるが、あとは衣服を何とかして、金銀の縫い取りを施した長衣か、風のような絹でも着せて、上品に髪を結うだけで、素晴らしい美少女になるはずだった。

つい見とれた男だが、下手に誉め言葉を口にすると、またこの少女の機嫌が悪くなりそうなので、やめておいた。

斬り伏せた死体もそのままに男は歩き始め、金髪をひらひらさせながら少女が後を追う。

急いで山道へ入ろうとしたのだが、そこへ実に三度目の邪魔が入ったのである。

先に気づいたのは例によって少女のほうだった。

「馬の足音がする。ふたつ。すごい勢いでこっちへ来る」

足だけでなく、この耳も魔法じかけだと思いながら男は訊いた。

「また、目当ては俺か？」

「たぶんね。どうする？」

「殺さずに済むならそれに越したことはないのだがな。やり過ごせないか」

とは言うものの辺りは立ち木がまばらに生えているだけの林だ。身を隠せるようなものは何もない。

「馬からたたき落として木に括りつけておくっていうのは？」

「できるか？」

「向こうも二人だ。一人ずつ分けよう」

「よし」

しかし、駆けつけてきた馬二頭に彼らが襲いかかる暇はなかった。騎手たちは徐々に馬の足を緩め、男の姿を認めると同時に馬から下り、地面に片膝をついたのである。

「ご無事で何よりでございました。国王陛下」

「おまえたちは？」

「は。ウィンザのダール卿に仕えるものでございます。つい先ほど、この付近にて陛下のお姿を見かけたものがいるとの知らせを受け、お出迎えに参じました」

「そうか、ダールは無事だったか」

「はい。あるじは、陛下のご帰還を一日千秋の思いで待ちわびておりました。これですぐにでもコーラルへ向けて兵を起こすことができます。さ、どうぞ――」

少女はちらりと物問いたげな眼を男に向けたが、男はあっさり騎士たちの言葉に従った。

「馬にはおまえたちが乗れ。俺はこの風体だ。護衛戦士のふりをして行く」

「は、ですが……」

「ウィンザ城にたどり着く前に怪しまれては何にもならん。ここはまだパラストだ」

パラストが隣国のお家騒動をどう考えているかはわからない。しかし、パラスト側が今現在権力を握っているペールゼン侯爵に恩を売るため、流浪の国王を捕えて突き出そうと考えたとしても少しもおかしくない。

そんな物騒な可能性を考えているのかどうか、男は少女を振り向いて笑ってみせた。

「よかったな、リィ。明日はまともな寝床で眠れるぞ」

「ぼくには野原のほうがまともな寝床だ」

言いつつも少女は男に従った。

騎士二人は国王の風変わりな連れに対して動ずる様子も見せず、元通り騎乗して手綱を取った。

「先程、ペールゼン配下の者たちと鉢合わせたが、ウィンザは大丈夫か？」

「は。幸いにしてウィンザはコーラルから離れていることもありますし、ダール卿のお力はペールゼン侯爵に勝るとも劣りません。領内にある限り、ペールゼン侯爵が何を言ってきたとしても陛下の御身《おんみ》は絶対に安全でございます」

「それは頼もしいな」

四人になった一行はその夜は近くの民家に宿を借り、翌日、二人の騎士の手配で巧みに道筋を避けながら、国境へ近づいていった。

思えばここはパラスト領内なのに、デルフィニアの騎士たちがこうして楽々と国境を越えて来られるのだから、出入国の審査もたいしたことはなさそうである。

その途中も少女は山の名前、今から赴こうとしている地域の名前、道筋の先にあるものなど、端から男に質問していた。

特に少女が知りたがったのが、大華三国を分断しているというタウ山脈のことだ。

この進路だと左手にあるはずだと男は言うが、まだ遥かに距離があるため眼にすることはできない。

それでも全長はどのくらいになるのか想像もつかない巨大な山脈だという。

「じゃあ、その山は、いったいどこまでがパラストでどこまでがデルフィニアなの？」

「難しい質問だな」

男はあっさりと言った。

「一応、稜線に沿って国境が引かれてはいる。しかし実際にはどこまでがタンガでどこまでがデルフィニアやら、さらにはどこからがパラストなのか、俺にも詳しいことはわからん。触らぬ神にたたりなしというやつでな」

「山賊でも出るの？」

「その通りだ。もともとタウは一部の峠を除けば難所続き。主要都市からも外れているし、狩猟を生業とする山岳民が住みついているだけの僻地だったのだがな。いつのころからか、それぞれの国の犯罪者や、何らかの事情で国にいられなくなった者たちがタウを目指して逃げ込むようになり、ひとつの勢力になっていった。今ではちょっとした無法地帯だ」

少女は軽く首を傾げた。

「それ、ほっといていいの？」

「いかんのだろうが、これといった悪さをするわけでもないのでな。時には旅人から通行料を取ったりしているようだが、それも被害に遭うのは裕福な商人や貴族に限られているし、退治しようにも地の利は向こうにあるし、噂では山奥にいくつも村落があり、住民は皆、馬術や武術の訓練を怠らないともいうしな。下手に手を出すと却って面倒なことになるのは確かだ。どこの国も今のところ見て見ぬ振りをしている」

やがて太陽が彼らの背中に沈もうとするころ、一行の前に広い河が現れた。流れは緩やかで、水面は暗く沈み、相当の深さがあることを窺わせる。これがテバ河だった。

少女が問う。

「向こう岸はもうデルフィニア？」

「ああ。そしてあれがウィンザ城だ。パラストに対する西の抑えだな」

男の指さした城は川べりに建てられていた。

少なくとも初めはそう見えた。距離もあるし、角度も悪いので、さすがの少女の眼にも、それ以上のことはわからなかったのである。ところが二人の騎士の手配で小舟に乗りこみ、近づいていくと、その城は河岸も河岸、それどころか水面に張り出すような形でそびえていた。

基礎は向こう岸に造られているのだが、上物、正確にいえば城の一棟がまるまる河川に張り出しているのである。

少女は半ば呆れたように言ったものだ。

「これ、もしかして、ひとつ間違えば国境侵犯を問われるんじゃない？」

男は低い、実に満足げな笑い声を漏らした。

「どういう生まれ育ちをすれば、おまえのような娘ができるのか、ぜひ知りたいな。俺が十三の時には一日中武術と友人たちとの悪ふざけにあけくれて、それ以外のことなど、とても思い及ばなかったがな」

「ちゃかさない。ぼくがパラストの人間なら絶対抗議するよ。それとも河の真ん中が国境なの？」

「いいや。河のこちら岸はパラスト。向こう岸はデルフィニア。テバはどちらのものでもない。そうなっている」

「じゃ、あのお城は？」

「向こう岸に造られていることは間違いない。上物がいくら水面に張り出していても、それは越境していることにはならない。という理屈らしい。

「すごいへりくつだ」

そんなことを言いながらも、少女は初めて見る大きな城を丁寧に観察していた。

一棟飛び出している部分を除けば、真四角な箱のような姿である。壁は粗雑な石造りだし、窓は鉄鋲を打った武骨なものだし、装飾的とはお世辞にも言いがたい。

これは単に優美な建築にするだけの技術がないのか、それとも防御機能を優先するためなのか。

近づくにつれて答えは明らかになった。

河に張り出している一棟には奇妙な穴が開いていた。窓ではない。外を覗くのがやっとのような細長い隙間である。それが縦に二列、棟の上から下まで均等の間隔で並んでいた。

矢狭間《やざま》である。

いざという時には、ここから河に向かって弓矢の連射を浴びせる備えになっているわけだ。

少女は感心したように呟いた。

「立派なお城だね」

「そうか?」

「がっしりしてるし、窓にもみんな鉄枠がはまってるし、三……四階建てかな? 屋上がみんな平たくできてる」

「中央部だけが四階。そのまわりは三階建てだな。どうしてああいう造りになっているか、わかるか?」

「一段高くなっている中央部の屋上が作戦司令塔として、そのまわりの低くなってるところで、何かやるのかな?」

「その通りだ。危急の場合に兵隊を配置するためのものだ」

「じゃあやっぱり、戦闘用のお城なんだ」

「造られた当時はな。しかし、ここが戦の舞台になったことは一度もない。恐らくはこれからもないだろうな」

男はそう断言したが、少女は少し黙って急に問いかけた。

「ここからアヴィヨンまではどのくらいある?」

いきなりの質問に、男は首を傾げながらも答えてやった。

「早馬を飛ばせば半日、かな?」

「で、コーラルまで七日だっけ?」

「歩けばな。早馬を飛ばせば、およそ三日の距離だろうが、なぜだ？」

その問いに少女は答えなかった。代わりに無邪気な調子で言った。

「じゃあ、ウィンザの人たちって、デルフィニアよりパラストのほうを身近に感じるだろうね」

男は黙って少女を見た。

少女も男を見上げてきた。それから小舟の船頭を務めている二人の騎士のほうへ意味ありげな視線を向けた。

この城はデルフィニア本国の意向より先にパラストの意向を知ることのできる立場にある。はるかに影響を受けやすい位置にいる。

あれほど自在にパラスト領内に入りこみ、馬で駆けることができるのももしかしたら……、と、少女は指摘したのである。

男は何も言わなかったが、その眼の中に賞賛の光があるのを少女は悟り、軽く片目を瞑《つむ》ってみせた。

男も笑みを返す。

「いずれ俺が……かなうとしてだが……一軍を率いて戦に赴くようなことになったとしたら、ぜひともおまえのような側近が欲しいと思うぞ」

「冗談言ってる」

小舟の上でそんな話をしながらも、男は河の向こうの景色に見入っていた。

追われて逃げ出した祖国に半年ぶりに戻ってきたのだ。感慨もひとしおだろう。

騎士二人は彼らの会話に何の関心も示さない。それが臣下としての心得なのかもしれなかった。

やがて船は城縁につけられ、二人を迎え入れるために橋が下ろされた。

騎士たちはここで会釈をして別れ、二人は中から現れた小者の案内で城内へと通されたのだが、中へ踏み込むと同時に、少女は眼を丸くしていた。

外から見ると戦闘用の武骨な城なのに、内部は一級の文化に華やかに飾られていたからである。

床は磨きあげた寄せ木細工やモザイク模様の大理石で彩られ、壁には分厚い織物を壁紙の代わりとして張りつけ、豪華な額縁に収まった絵画がいくつも飾られている。

広い廊下には天使や女神の浮き彫りを施した大理石の柱がずらりと並び、石造りの寒々しさを埋めるためか、ずっしりした垂れ幕が至る所に掛けられている。

外見からは想像できない絢爛な眺めだった。単に文化的というだけでなく、かなり贅沢な造りである。

「すごいや」

文化芸術には明るくないはずの少女が、思わず感想を漏らしたくらいだ。

男も同様のものを感じていたらしい。

「中身に関してはコーラル城よりよほど派手な造りだな」

「首都のお城より？」

少女が眼を剝き、前を行く家来を憚《はばか》って、小声で尋ねてきた。

「ここはデルフィニアではかなりの田舎だろ？　それなのに首都のお城より中身が立派だなんて、そんなのあり？」

「まったくだ。俺も知らなかった」

男も小声で言い返す。

「だがな。立派という点ではコーラル城だぞ。しかしまあ、ダールの住み処がこれほど派手とは思わなかった」

派手と立派はどう違うのかと少女は思ったが、それは言わなかった。

「ここ、前に来たことないの？」

「ない。コーラル周辺の視察だけで手一杯だった」

二人は出迎えた家来の案内で広い居間に通され、主人が現れるのを待ったが、その広間も大変に豪華なものである。

入口は天井高く切り抜かれ、ぴかぴかに磨きあげられた床には塵ひとつ落ちていない。

壁のすべてを使って華やかな絵画が描かれ、家具には縁に金の飾りがつけられている。光る貝殻や貴石を刷り込んで花模様を描いた円卓の上には細緻の限りをつくした銀製の菓子入れと水差しがごくさりげなく置いてある。桁違いに大きな暖炉の上には、様々な風物を描いた大小の絵皿がたてかけてある。

あっけにとられながら少女はそっと呟いた。

「ここ、ほんっとに戦闘用のお城？」

「の、はずなんだがな……」

男の声は呆れている。

野宿の旅を長く続けてきた二人の風体は、この部屋では浮きあがること著しい。

少女は居心地悪そうに身じろぎして、辺りを見回した。

「お金持ちの屋敷へやってきた物乞いの心境って、こんな感じかな」

「おまえでも物怖じすることがあるのか」

「こういうぴかぴかしたところは苦手なんだよ。いつ壊したり汚したりするかと思うと、うっかり身動きもできないじゃないか。いったいこの部屋だけで、いくらぐらいお金かかってるんだろ?」

「俺もあまり詳しくはないが、そこの暖炉の上の絵皿な」

「うん」

「一番小さいものでも金貨十五枚はするだろうな」

「そう言われても、どのくらいの金額なんだかわからないよ」

男は黒い瞳にいやにまじめな色を浮かべて言ったものである。

「金貨一枚あれば、庶民の一家がゆうに一月食べて暮らせる」

少女はぷっと吹き出した。

「ちょっと待ってよ? それがあんなにたくさんあるってことは……」

男は軽く頷いて、

「いかんな。育ちがさもしいせいか、金貨が並んでいるように見えるわ」

「ぼくにだってそう見えるよ」

少女のほうは無駄なことにお金を使うものだと心底から呆れていたのだが、男のほうはこの城の贅沢な様子を暗に皮肉っているらしい。

口もとは笑っていても眼が笑っていない。

城の主人はまだ現れなかったが、やがて数人の召使いが着替えを持って現れた。

「陛下。どうぞこちらにお召しかえを……」

抑揚のない声で言ったのは、年配の痩せた女中である。

おそらくはこの城の召使い頭だろうが、声同様、その顔にも何の表情も浮かんでいない。仮面のような顔つきである。しかし、態度は非常にうやうやしく、男の剣を預かり、着替えを手伝い始めた。

風呂に入るのに五人がかりだそうだが、着替えも五人がかりである。少女はすこし横に離れて、その様子を見ていたのだが、女中の一人は、そんな少女に不審を抱いたらしい。

「これ、何をそのように立ちつくしておるのです。おまえも陛下のお召しかえをお手伝いなさい」

ぽかんと緑の眼が丸くなる。

何か言うより先に男が口を挟んだ。

「その娘は小間使いではない。構わんでいい」

「は、ですが……」

「それよりも、その娘にも何か見合うような着替えを用意してもらえないか」

「いいよ。こんな裾の長いもの。ろくに動けやしない」

「これ！　陛下に向かって何という……！」

「構うなと言っておる」

眼の色を変えた女中に、穏やかだが厳しい口調で男が命じた。年配の女中は渋々引き下がったが、明らかに不満そうである。

「リィ。本当に着替えはいらないのか？　その衣服はだいぶくたびれているではないか」

「でも女物の服ならいらない。こんなぴらぴらしたもの。絶対すっころぶぞ」

「困ったやつだ」

国王と対等の口をきく少女と、これを咎めだてもしない国王に、その場に居合わせた召使いは戸惑いの色を隠せなかった。

主人に対して、まして国王という最高権力者に対して、こんな態度はとうてい許されないものだったからである。

召使いの手を借りて衣服を改めた男は見違えるようだった。二十年以上も田舎暮しをしてきたというが、豊かな長身といい、歳の若さに似合わぬ貫禄といい、見とれるほど立派な風采である。

少女がちょっと感心したように言った。

「やっぱりそういう格好すると、それなりに見えるもんだな」

「それなりか？」

「うん。背景も立派だし、見なりも整ってるし、あとはウォルに対して頭を下げる家来の一群でもいれば、申し分のない王様に見えるんじゃないかな？」

男はそれはそれは楽しそうに声を上げて笑ったのだが、召使いたちのほうは明らかに少女に対して侮蔑の眼差しを向けていた。

どこの田舎娘か知らないが、身分ある人に対する口のきき方も心得ないと言いたいようである。

そして、若い召使いの一人は、その眼差しを国王本人にも向けたのだった。

それはまるで、本当に血筋の正しい王ならば、こんな無礼を許しておくわけがなく、高貴な血を引いているといってもやはり育ちが育ちだから、とでも言いたげだった。

そこへ喜色を満面に表して、この城のあるじがやって来た。

「これはこれは、国王陛下。ご無事で何よりでございました」

「おお、おまえも息災で何よりだ」

ダール卿は年齢四十半ば。ウォルほどではないが、堂々とした立派な体格だった。

大喜びの様子でいろいろとウォルに話しかけ、今までの苦労を思いやり、涙ぐんだが、やはり少女に対して奇異の眼を向けた。

今の少女は髪を隠してはいない。城の中へ入った途端に自分できれを解いたのだ。そうすることが礼儀のような気がしたらしい。

したがってきちんと結い上げた髪と銀の宝冠があらわになっている。

抜群の美貌と濃い黄金色の髪。額に輝く緑の宝石。少年のような手足をむき出しにした衣服。まして腰に下げた大剣。

誰の眼にもちぐはぐに映るに違いない。

卿は首を傾げて男に問いかけた。

「陛下。この娘は……」

「グリンダだ。俺の連れだ」

一言で説明されて、卿は戸惑い顔になった。

流浪の国王と、かぼそい少女との取りあわせがしっくりこなかったのだろう。

しかし、それはとりあえず後回しにして、二人を晩餐の席へと案内した。

味をつけて冷たく仕上げた鳥の肝、魚の甘露煮など、そこに並んでいたのは都会でしか望めない贅沢な珍味ばかりだったが、少女にはあまり口に合わないようだった。

狩りたての肉を火であぶっただけの食物のほうが食欲をそそられるようである。

特に食後に出てきた砂糖菓子には大きく顔をしかめ、手を触れようともしなかった。

「食べないのか？」

不思議に思って男が問いかけると、

「これを？　こんな歯が溶けるようなものを？」

真剣に言う。

「おまえのような年頃の娘はみな、甘味を好むものだと思っていたが……」

「普通の女の子ならね」

よほど人間の、と言いたかったのだろうと、男は思った。

しかし、一歩城の中に入ってみると、ここでは身分の上下にやかましい封建の掟がずっしりと根を張っており、それ以上に常識の堅い壁が異質なものはたちまちはじき出すと敏感に察したに違いない。

恐ろしく奔放な少女だが、できるだけおとなしくしようと心がけているつもりではあるようだ。

となれば、ここでリィの居心地をよくするも悪くするも、それはウォル次第である。

男は自分の隣で食事をとっているダール卿に、なにげなく話しかけた。

「ダール。首都奪回のための手立てはどうなっている？　俺は今夜のうちにもコーラルへ向かいたいのだが……」

卿は慌てて手を振った。

「いや、陛下。それはなりません。うかつにそのようなことをなさっては、それこそペールゼン侯爵の思うつぼでございますぞ。ご案じめされずともわたしの部下たちは、ご命令があり次第、いつなりとコーラルへ進撃する構えでおります。しかし、あなたさまの身の上、そしてあなたさまがこうしてご健在であることはいざという時まで隠しとおしておかねばなりません。ペールゼン侯爵は、あなたさまはすでにこの世の人ではないと判断し、ティレドン騎士団長に王冠をかぶるよう強要しております」

「バルロにか。しかし、あの石頭がおとなしく王冠をかぶるかな？」

「ティレドン騎士団長は硬骨の人であると同時に、熱烈な愛国の士でもございます。そして侯爵はまさに騎士団長のその弱みをついているのです。すなわち、このまま国王不在の状況が長く続けば、我がデルフィニアは再建不可能なところまで追いこまれるやもしれぬと、あるいは他国に侵入する隙を与えることになるやもしれぬと、そのためには確たる君主が必要だと暗に圧力をかけているのでございます。この脅しに対してはいかに騎士団長といえども抵抗はできますまい。いずれは王位を継ぐことを了承させられてしまうでしょう。その時こそあなたさまが立つべきです」

「確かにおまえの言う通りだ。では、その時まで面倒をかけるが……」

「むろんのことです。陛下にご不自由は一切させません。どうぞおくつろぎあそばしませ」

「ありがたい。もうひとつ頼みたいのだが……」

「なんなりと」

「その娘にも俺と同じ庇護を与えてもらいたい」

「は。それはかまいませぬが、しかし、この娘はいったい……？」

「二度までも危ないところを救ってもらった恩人だ。俺の寝所の近くに部屋を作ってやってくれ」

「は、すぐさま用意を……」

ウォルとダール卿とは部屋の支度が整うまで、今現在のコーラルの様子やペールゼン侯爵の勢力などを話しあっていた。

少女はその間、口をはさまず、じっと二人の会話に耳を傾けていた。

ダール卿はこの少女の存在をあまり気に止めていないようである。

やがて部屋の支度が整い、二人はそれぞれ召使いに案内されて、幅の広い階段をあがっていった。

緋色の絨緞の敷きつめてある階段は、人が昇り下りしても音がしない。天井からは、まばゆいほどに蠟燭を灯した華麗な大燭台がいくつも吊されている。

階段をのぼりつめると、そこは城の最上階だった。

眼の前にまっすぐな広い廊下が現れ、その突き当たりには窓があった。丸みを帯びたその形から、先程外から見た張り出し部分とわかる。

この最上階はもともと見張り台を兼ねた司令塔であるはずだが、今は高貴な客人を泊めるための一角に改造されてしまっているようである。

床にはずっしりと厚みのある絨緞が敷かれ、壁にも天井にも先程の居間にも負けぬ豪華な装飾がふんだんに施してある。

召使いは長い廊下をほとんど渡りきって、突きあたり右手の部屋の扉を開き、ウォルを招きいれた。

リィが続いて入ろうとすると「あなたはこちらです」といって廊下を挟んだ反対側の部屋を指し示した。

肩をすくめて少女は言われた通りにする。

ウォルのほうは部屋へ入ると、召使いに下がるように言いつけた。

「あとは一人にしてくれ」

「ですが、お召し替えのお手伝いを……」

「いや、いい。一人でやる」

「かしこまりました。なにか、ご要《い》りようなものがございましたら、何なりとお申しつけください」

召使いたちが引き下がると同時に、ウォルは寝間着への着替えもそっちのけで室内の様子を確認にかかった。

広々とした寝室である。内装も豪華なものだ。

入口から見て正面にくりぬいた窓がある。

近寄って外を見ると、真下には中庭のような感じの一段低い屋上があった。外から見た時はわずかな段差だと思ったが、こうして見るとかなりの高さである。

ここからは見えないが左手にはテバ河のゆったりした流れがあるはずだ。

物思いにふけっていると　背後で小さく扉を叩く音がした。

「構わん。入って来い」

そっと顔を覗かせた少女も寝間着に着替えてはいなかった。腰の剣もそのままだ。

辺りを見回しながら近寄ってきて、大きな寝台にちょこんと腰を下ろす。

「どうした。眠れないのか?」

「そういうわけじゃないけど……」

首を傾げて物問いたげに男を見やる様子が、小さな動物のようで可愛らしかった。

「これがきみの言うまともな寝床?」

「まあな」

「ぼくには全然まともじゃないな。こんなところで寝たら背骨がどうにかなるぞ、絶対」

まじめくさって言う様子に思わず苦笑する。

「まあ、やわらかすぎるのは確かだな。スーシャの父の城の寝台はもっと固くて寝心地がいい」

「ウォル」

「なんだ?」

「本当にここでしばらく過ごすの?」

「さてな」

「あのダール卿って人、信用できるの?」

面と向かって言われて男はまた苦笑した。

「俺もそれを考えていたところだ。大きな声では言えんがな」

男も腰に剣を帯びた姿のまま、少女と並んで寝台に腰を下ろした。

「ダールは確かにウィンザの領主だが、そしてウィンザは確かに西デルフィニアでは広大な領地だが、今や事実上の権力者のペールゼンに面と向かって反抗できるほどの気概を持っていたとは、意外だった」

「人ごとみたいに言ってないでちゃんと考えなってば。このお城、なんだかおかしいよ。そう思わない?」

「思う。俺もそこが気になる」

主人であるダール卿の態度はもちろんのこと、彼ら二人を迎えに来た騎士の態度といい、この城の召使いの態度といい、表向きはにこやかにしているものの、圧制に憤慨しながらも服従しなければならなかった屈辱のさなかに真実の王を迎えたという歓喜がさっぱり伝わってこないのだ。

もし、彼らが本当にペールゼン侯爵の所業に怒りを覚え、自国に正当な王を迎えようという悲願を持っていたのなら、ウォルに対してもっと爆発的な喜びを示してもよさそうなものである。

少女も不審なものを感じているらしい。

その緑の瞳は夜を迎えた猫さながらに、丸く大きくなっているかのようだった。

「だいたいだ。一度行く手を遮られたよね？　あっさり引き下がったら今度は殺し屋の大群が出た。これを退治したら即座にこの城のお迎えが来た。ちょっとおかしくない？」

「おかしい。誰が考えてもおかしいぞ」

「あのねえ……」

少女はうんざりと額を押さえてみせた。

「わかってるなら、どうしてのこのこついて来たりしたのさ」

「ダールが何か企んでいるなら、それが何なのか確かめたかったのでな。しかし、この様子では俺に味方するつもりはないとしても、ペールゼンに与しているわけでもなさそうだ」

「がっかりしてるみたいに聞こえるけど？」

男の苦笑は感嘆の表情に近くなった。

わかっているのかいないのか、何気なくずばりと核心をついてくる。

こちらの眼をまっすぐに見つめる緑の瞳を見ていると、何となく妙な気分になってくる。

といっても色めいたものではなく、もちろん恐怖でもない。

ただ、何というか——この少女の言葉を全面的に信じているわけではないのだが、人と向き合っている気がしないのだ。

「不思議な娘だ。おまえは。俺の考えていることがわかるのか」

「まさか。ダール卿が敵だったほうがよかったのかなって思っただけだよ」

「俺が真の王権を回復するためには……」

男は考え考え言葉を継いだ。

「ペールゼンが罪人であると証明しなければならない。しかし、今までのあやつの言い分がでたらめだと立証することは難しい。口を極めて反論したところで水かけ論になるだけだ」

「だろうね」

「となれば、あやつの悪だくみを証明するしかないからな。王族の資格も持たずに権力にしがみつき、私利私欲から支配者づらして自分たちの頭上に君臨したがるものを快く許すほど民衆は寛容ではない。もし、ダールがペールゼンと共謀しているなら、何か摑めるのではないかと思ってわざわざついて来たのだが……」

「当て外れだった?」

「ああ、皆が寝静まったら、ここから出ていったほうがいいだろうな。なんの目的があって俺を歓待してみせたのかは知らないが、まあ、ろくな理由ではあるまい」

少女はしばらく難しい顔をして、何か考えていた。

「ねえ、ウォル」

「うん？」

「きみの従弟は、きみが生きてるかぎり絶対、王様にはならないだろうって言ったよね？」

「ああ」

「そしてペールゼンって人は、とりあえずどうしてもバルロさんを王様にしたいんだよね？」

「とりあえず、な。なにしろ他に成人した王族はいない。バルロの母上、ドゥルーワ王の妹アエラ姫は別だが……。あの方を王にというのでは国民が承知すまい」

「つまり、ペールゼン侯爵はどうしてもきみに死んでもらいたいわけだ」

「そう言ったではないか。実際この半年の間、俺は何度も襲撃されたのだぞ」

呆れて言い返したが、少女は固い表情を崩さない。

「ちょっと考えてごらんよ。ウォル。だったら、ただの暗殺じゃまずいよ。逆効果だ」

「なに?」

「だってバルロさんはペールゼンと仲が悪いんでしょ?　それにバルロさんはきみと仲が良くてきみの王権を認めてる。ということはペールゼン侯爵が、だよ?　きみを暗殺して何食わぬ顔で、放浪中のウォル王の死亡が確認されましたので王位を継いでくださいなんて言ったら……」

男は、はっとなった。

「バルロさんはどうする?　それはお気の毒なことでって言って、あっさり王様になる?」

緑の瞳がじっと、黒い瞳をのぞき込んだ。

「確かに……、な」

「でしょう?」

「あの熱血漢のことだ。俺の死体をその眼で見るまでは決して信用しないだろう。いや、見たとしても……」

「体中に斬られた傷なんかが残ってたら、まずいよねえ」

「草の根分けても犯人を捜しだし、火あぶりにしてくれる。ぐらいのことは言うだろうな」

「ペールゼンにはとことんありがたくない状況だよね」

男はちょっと苦笑した。

「意外なところに俺の命の安全があったものだ」

「どうだかね。何度も襲われたってことは、ひょっとしたら気づいてないのかもしれない。少なくとも今まではね」

「リィ……」

男は真顔になって少女を見た。

今や、この風変わりな少女は、男の被保護者などではなく、その腕前も、そして頭脳も、充分頼りにできる存在だったのである。

「何が言いたい……？」

「考えてみたんだよ」

少女はゆっくりと言った。

「もしぼくがペールゼンだったら……。そして何とかして新しい王様を立てようと思ったら……。ただきみを殺すだけじゃだめだ。コーラルにはきみを慕っている人も大勢いるんだから、下手なことをしたら、自分の身が危うくなる」

「ではどうする」

「きみの評判を落とせばいい」

「…………」

「きみが今自分で言ったじゃないか。悪人だって証明すればいい。同じことがペールゼンにも言える。ペールゼンの場合はきみが悪人だとでっちあげればいいんだから、もっと簡単だ」

「…………」

「もう充分やったつもりだった。そして一度はうまくきみをコーラルから追い出した。でも王家乗っ取りを企んだと言いふらしたくらいじゃ足らなかったんだ。コーラルの人たちは王族の資格も持たない侯爵に支配されるのがいやになってきてるし、改革派の自分勝手な言い分にも嫌気がさしてきてる。一時の興奮状態が収まって頭が冷えてくれば当然だよ。そしてペールゼンにとって、その状況がありがたくないことはもちろんだ」

「…………」

「それならウォル・グリークって王様は、王冠を持つには値しない、どうしようもない最低の人間だって証明すればいい。バルロさんでも諦めるしかないくらいにね」

「たとえば？」

男は思わず声を低め、精悍な顔に緊張感さえ漂わせながら訊いた。

少女の表情もまた真剣そのものだが、ちょっとためらった。

「たとえば……いやな言い方だけど、それにどのくらいの罪になるのかもわからないけど、多分、一番可能性があるのも効果的なのもこれだと思うんだ」

「リィ」

言ってくれ、と言外に意味を込める。

少女は軽く肩をすくめた。

「向こうのぼくの部屋。寝台が置いてないんだ」

「なんだと？」

「いくつか家具は置いてあるけど、ただの居間に見える。もちろんぼくはそれで構わない。こんな寝台より床で寝たほうがはるかに快適だ。でもね。きみがあれほどぼくにも同じ庇護をと言ったのに、主人のダール卿も客人として扱うって断言したのに、変じゃないか」

確かに変だ。

相手がどんなに身分の低い者だったとしても、一夜の宿を与えるのに寝台の置いていないところへ案内するわけがない。

「で、こっちの部屋を覗いてみたら、こんな立派な寝台が置いてある。となればね、きみとぼくとを一緒に寝かせたかったんだとしか思えない」

「リィ、いったい……」

「話を戻すよ。きみの評判を地に堕とす方法。こんなことは言いたくないけど仮の話だ。例えば……例えばだよ。きみが本当は、年端もいかない女の子を――ぼくのことだけど――無理やり寝床に引きずり込んで悪戯をするのを楽しむような歪んだ性癖の持ち主だった……なんていうのはどう？　あげくその最中に死んだとなったら？」

男は息を呑んだ。

少女も恐ろしいくらいの真剣な顔でゆっくりと頷いた。

「幼女趣味に関しては、権力者のすることだから、罪にはならないのかもしれない。でも誉められたことじゃないよね。皆に尊敬されるのが王様の務めで最低限の義務だとすればね。きみの名誉も評判も木端微塵だ。たとえでっちあげにしても、きみとぼくの死体がこんなところで折り重なって出てきたら誰だってそう思うはずだよ。なんなら無理心中に仕立てたっていい。王室はじまって以来の醜聞になることは間違いない。おまけにここならバルロさんを引っぱってきて自分の眼で確認させるには絶好の場所じゃないか。デルフィニア領内、でもコーラルには近くない。そして女の子と国王の無理心中なんてことはまさかおおやけにはできない。国王の名誉を汚さないためにも、デルフィニアの評判を落とさないためにも、ウォル王は旅の途中で事故死したことにするしかない。証人には騎士バルロという、これ以上はない人がいる。きみの不名誉をかばうためにならバルロさんだってそのくらいの口裏は合わせるだろうし、後はもうあきらめて自分が王冠をかぶるしかない」

少女が言葉を切っても、男は啞然としたまま、反応することもできなかった。

そんな馬鹿なことがあるはずがない。

いくらペールゼンにとって自分が眼の上の瘤だとしても、そこまで悪辣な手段を用いるわけがない。驚愕しながらも男はろくに回らない舌でそう言い返そうとした。しかし、少女は厳かに首を振ってみせたのだ。

「権力欲に取りつかれた人間に常識なんか通用しない。どんな気違いざただろうと平気でやってのける。友達がよくそう言ってたよ」

ゆっくりとした落ちついた声だった。現実を認識するように、やんわりと促しているのだ。

「リィ。いったい……おまえの頭の中は、いったい、どうなっている?」

その声はわずかに震えていたかもしれない。

相手の考えていることがわからない。この事実は人を困惑させるだけでなく、時には恐怖さえ感じさせることがある。今の男がまさにそうだった。

「とにかく向こうの部屋を覗いてみて。お客を泊めるのにふさわしい部屋なのかどうか。ぼくにはわからないんだ」

男は怖いような顔で少女を凝視していたが、立ちあがって扉へ向かった。

しかし、把手に手をかけた男の口からは盛大な罵声があがったのである。

「閉じこめられたぞ！」

少女も盛大な舌打ちを漏らした。

駆けよって扉を調べる。どうやら外の把手の間に掛けがねを通したらしい。

「予感的中だ」

「しかし、一晩俺たちをここへ閉じこめたからとて……醜聞の証拠にはなるまい？」

男は、瞬時にいつもの自分を取り戻していた。

はからずも少女の言うことが正しかったと、これほど早く証明されたのである。

たとえそれが、十三の少女には絶対に言えないものであるとしても、考えつかないことであるとしても、それはこの際後回しだ。

「だよね。それこそ何考えて……」

言いかけた少女が顔色を変えた。

「どいて！」

叫ぶと同時に剣を引き抜き、扉の合わせ目に斬りつけたのである。

なまくらな刃物ならばへし折れるところだが、少女の剣は鉄の錠前を真っぷたつに両断してしまった。

そこへ体当たりをかませる。

一歩廊下へ出て、二人はすぐに異様な匂いに気がついた。

少女が叫ぶ。

「火事だ！」

「ええい！　走るぞ!!」

長い廊下を二人はたちまち駆け抜けたが、それより早く、なめるようにして炎が階段をのぼってきたのである。

異常なくらい火の回りが速い。

少女が怒声を上げげた。

「こんなになるまで気がつかなかったとは！」

自分を責めるかのような叫びだった。

「油を撒いたな。おのれ、ダール！」

男も憤怒の叫びを上げる。

その間にも炎は階段をのぼりきり、廊下を渡って来始めた。二人はどうしても元いた場所へと追いやられたのである。

廊下を駆け戻った男はテバ河に面している突きあたりの窓に飛びついた。しかし、下を見て呪いの声を上げた。

確かにすぐ眼の前に川がある。この暗がりでもわかる。しかし、真下はさっき見た部屋と同じ、一段低い階の屋上になっているのだ。

これでは助走をつけて飛んだところで川には届かない。下の屋上に激突するのが関の山だ。

ウォルも武芸の達人である。階段の上から飛び下りるくらいのことならわけもなくやってのけるが、この城の一階層は実に民家の三階層に相当する。

飛び下りたりしたらただではすまない。

出窓に追いつめられた二人は懸命に脱出口を捜したが、ここは城の最上階だ。階段はさっきあがってきたところ一か所しかなく、そこはもうすごい煙でとても近づけない。

「ダールめ、俺たちをここで蒸し焼きにするつもりか！」

「その上でおまえが乱心しておれを道連れに心中したとでも言いふらすつもりだろうよ。外道が！」

寝台の敷き布を裂いて縄を作ることも考えたが、とてもそんな時間のかかる悠長な作業はしていられない。第一炎の熱気がすぐそこまで来ているのだ。

男は窓から身を乗り出し、絶望的な面持ちで叫んだのである。

「このいまいましい石造りの大地さえなければ水の中に逃げこめるものを！」

その横で少女がせきこみながら同じように身を乗り出し、下を見た。

そして背後を見た。

「やるしかなさそうだな。ウォル！」

倍も重さのありそうな男を見上げて少女は言ったのである。

「おれが先に飛び下りる。受け止めてやるからおまえ、おれを目がけて飛び下りろ」

男は眼を剝いた。

「な……馬鹿を言うな！　この高さだぞ⁉」

室内に設けられている階段の上下とはわけが違う。

どんな武芸の達人でも軽業師でも、こんなところから飛び下りたりしたら、絶対に無傷ではすまないはずだ。

しかし、少女はきっぱりと断言した。

「こんな高さぐらいおれにはなんでもない。だけどさすがにおまえを抱えて飛び下りることはできない。となれば仕方がないだろう」

さっきまでの口調をがらりと改めている。剣を抜いた時というより、感情が激した時にこうなるようだった。

男を見つめる眼の輝きまでが違っている。

濃緑の瞳に浮かんでいるのは、間違いなく、雄々しい戦士の眼光だった。

男はあっけにとられて、窓下と、すらりと華奢な少女の姿を見比べた。

「この高さを……？」

「おれなら飛べる。大丈夫。おまえ一人くらい支えられる」

「しかし！」

少女は舌打ちして男の体に手を伸ばした。革の腰帯をつかんで、なんと男の体を、ひょい、と持ち上げたのである。

大きく頷いた。

「軽いもんだ」

「…………」

足が完全に宙に浮いている。

なのに、少女はまるで力を込めているようには見えなかった。軽い荷物を持ち上げたくらいの容易さなのだ。

馬の前を走る少女を見た時と同じ感覚が男を襲った。

全身がぞっと冷たいものに抱きすくめられたような、一度に血が凍りついたような、そんな感覚だった。

恐怖であるとは絶対に認めたくなかったが、何か得体の知れない異質なものと接している実感がひたひたと迫ってくる。

「なんて顔してる？」

男の体を床に戻し、少女は物騒に笑った。

「おれはこんなところで死ぬのはごめんだ。おまえもそのはずだ。おれの詮索は後回しにして生きのびることを考えろ」

愛らしい少女の声なのに、その口調には大の男も怯むほどの気迫がこもっている。

猛火に赤々と照らし出される少女の顔を男は息を呑んで見つめていた。

「おまえはいったい……勝利の女神か？　それとも、魔性のものなのか？」

「あとだ」

あっけにとられている男を残し、少女はひらりと窓から身を躍らせたのだ。

「リィ！」

青くなって身を乗り出したが、その時には少女は真下の屋上に綺麗に着地していた。

ありえないことだった。

「早く！」

そう言われても男はとっさに動けなかった。

即死はしないかもしれない。だが、絶対に無傷ではすまない高さだ。幼いころから山野を駆け、何度も木から落ちた経験のある男にはそれがよくわかっていた。

少女の能力に対する疑惑や恐れよりも、この高さのほうがよほど問題だった。

「何してるんだ！　焼き肉になりたいのか！」

こんな場合だったが、思わず苦笑する。

背中に炎の熱い息吹を感じながら、運命を託すべき相手をじっと見下ろした。

暗がりに金の頭が光を放っている。

その顔が自分を案じているのがわかる。

川はもう眼の前だ。やろうと思えば一人で逃げられるはずなのに、この少女は男と一緒でなければ絶対に動かない構えでいるのだ。

心が決まった。

腰から剣を外し、下に投げる。少女は心得ていて片手で受け止めた。

早く来い、と手招きをする。

さすがにその瞬間はためらった。しかし、他に道がないのも確かだった。天を仰ぎ、祈りの言葉を呟くと、男は深く息を吸い込んで、窓から身を躍らせたのである。

宙に放り出された時に特有の上下感覚の喪失。

そのくせ何かにむりやり引きずられて内臓がずれるような強烈な不快感に思わず眼を閉じた。

しかし、過去に何度かあったような衝撃と痛みはやってこなかった。

まだ足が地につかないうちに、もう一度空中に放り投げられるような感じがして、男は何かやわらかいものの上にどさりと落ちたのである。

衝撃で体が多少痺れているが、それだけだ。

どこにも激しい痛みはない。

驚きとともに頭を振りながら体を起こすと、確かに一階層下の屋上にいた。

そして男の軀の下では、少女がぐったりとなっていた。

「リィ!」

慌ててその体を抱き起こし、頬を軽く叩いたが眼を覚まさない。

何が起こったかは明らかだった。少女はその体を使って男を受け止めてくれたのだ。

「リィ。しっかりしろ!」

男は、この時はじめて少女の体に触れたのだった。

両手につかんだ肩は細く、力なく投げ出されている腕は白く、抱え上げると羽根のように軽い。

情けなくなった。

こんな少女に大の男の自分が守ってもらって、しかもそのために少女は今、気を失っている。骨や体に異常はないか確かめたかったが、火の手はすでに窓に達している。

間一髪だった。

この中二階の屋上にも火の粉が舞い落ちてくる。ぐずぐずできない。

剣を拾い上げ、小さな体を肩に背負い、まっすぐに屋上の縁まで駆け寄る。真下にテバ河の黒い流れがあるのを確認すると、男はためらわずに身を躍らせた。

6

テバ河はゆるやかな流れの川だ。

男は気を失っている少女を抱えながら、慣れた泳ぎでゆっくりと川を下った。

充分離れたところで岸辺へ這いあがり、振りかえって見ると、城はすっかり炎に包まれている。

危ういところだった。

少女が助けてくれなければ、まさしくあの中で焼死体となっているところだった。

「リィ……?」

ずぶぬれになった体を草の上に横たえる。気を失っていたのが幸いして水は飲んでいないようだが、眼を覚まさない。

「リィ……グリンダ!」

大声で名前を呼びながら、小さな肩を揺すり、頰を叩いた。

少女が、かすかに呻いて、うっすらと眼を開ける。

ほっとして問いかけた。

「気がついたか」

「……もい」

「なに？」

何を言ったのか聞きとれなくて顔を寄せる。

まだぼんやりとしている少女が、男の顔をぴしゃりと打った。

「おまえ、重いぞ」

ぐったりしながらも毒舌を浴びせる少女に安堵した。

「その元気があれば大丈夫だな」

「ここは……？」

「河を下ったところだ。見えるか？」

燃え落ちようとしている城を指し示す。

夜の暗闇の中でその明かりは充分すぎるほど鮮やかだった。

ここまでも炎の燃えさかる音が聞こえてくるようだし、火の粉が赤い雪のように水面に降りそそいでいるのが見える。

少女が呆れたように言った。

「派手なことをやる……」

「まったく馬鹿なことをしたものだ。あれほど金のかかった城をあっさり燃やしてしまうとはな。あげく俺たちを取り逃がしたとなれば、ダールめ。地団駄踏んで悔しがるだろうよ」

「これ、やっぱりペールゼンの差し金か？」

「さてな。なんにせよ、これで俺の帰国はコーラルに筒抜けだ」

「なぜ？」

「ここからコーラルまでには順次砦が建てられているのさ。何か異変が起きた時の用心にな。この火はかなり遠くからでも見える。ダールも近くの砦へ早馬を走らせる。のろしを使えば、今夜の内にもウィンザ城が焼失したことはコーラルに届くと、そういう仕掛けだ」

身の危険が一気に大きくなったのがわかっているだろうに、男は物騒に笑っている。

「喜んでる場合じゃないぞ」

「悪いことばかりではないさ。ペールゼンの動きが慌ただしくなれば、結果的に俺の味方の耳にも入るわけだからな」

どのみち存在を秘したままでは王座奪回などできはしないのだ。

「じゃあもう七日もすれば、ペールゼンの配下も、おまえの部下もごたまぜになって、このウィンザを目指してくるというわけだ」

少女はまだ戦士の気配を濃厚に纏ったままだ。

「そのときに出迎えるのが国王の死体じゃ、ぞっとしないな」

「リィ?」

全身ずぶぬれの、しゃがみ込んだ状態のまま、少女は軽く顎をしゃくって森を指してみせた。

遠くに盛大に燃える明かりを除けば、辺りは暗い、深い森だ。突然の火災に獣が騒いでいるが、そのほかにも何やら慌ただしい。

どうやら二人が城と一緒に蒸し焼きにならなかったことに気づかれたらしい。おびただしい数の人間が近寄ってくる気配がする。

「忙しい夜だな」

男は思わずぼやいていた。

それでなくとも今夜は焼き肉にされかけ、宙を飛ばされ、濡れねずみにされている。さすがに、この上の斬りあいは遠慮したい。

「かなりの数だ。三十はいる」

「わかった。逃げるが勝ちだな」

ウィンザ城の騎士たちにとって、この辺りは庭のようなものだろう。対して二人にはほとんど土地勘がない。まして三十という人数である。狭い路地に引きこみ、一人ずつ片づけていくのならまだしも、この状況下でその人数を相手にしたのでは勝ち目はない。

少女は頭を振りながら立ちあがったが、その足元が少し乱れたのを男は見逃さなかった。

「おい、大丈夫か?」

「大丈夫かじゃない。おまえが、おれの上に倒れ込む時、思いっきり肘鉄を入れたんだぞ。ただでさえでかい図体なんだ。もう少し考えて落ちてこい」

「すまん」

考えて落ちろという離れ業を強要された男は笑い出しそうになったが、素直に謝った。

森の中へ分け入ろうとした少女が不意に足を止め、急いで男を手招きした。

息を潜めて大木の蔭にかくれる。

わずかに遅れて、今まで二人がいた辺りに誰か駆けつけてきた。

松明の火が暗い森の中にいくつも躍り、あちこちで殺気だった人の声がする。

「本当にこの辺りか⁉」

「もっと先じゃないのか！」

そんなやり取りが聞こえる。

ダール卿の声が混ざった。

「ばか者どもが！　これだけ手勢を繰り出して見つけられんのか！」

「申しわけありません。まさか最上階から脱出するとは露とも思いませず、油断いたしました」

「ええい、そもそも脱出を果たしたというのは本当に確かなのか⁉　翼も持たぬ人の身でどうやってテバへ逃げこめたというのだ！」

「いえ、間違いございません。我々は皆、正門へ出ましたので気づくのが遅れましたが、確かに水に飛び込む音がいたしました」

男と少女は、兵士たちのそんなやり取りを少し離れた大木の蔭に身をひそめて聞いていた。なにしろ暗い森の中に松明の明かりが山のように灯っているから、うかつに動けない。

「ご主人さま。どこにもいません！」

「もしかして水面を泳いで対岸へ渡ったのではないでしょうか？」

「馬鹿な。テバを渡っていながらまたパラストへ逆戻りしたというのか？」

領主は断言し、次いで怒声を発した。

「あの男をコーラルに入れてみろ！　わしの立場がないわ！　生死は問わん！　なんとしても捕えるのだ！」

「はっ！」

「かしこまりました！」

「民家に逃げ込むかもしれん。兵士を総動員して見張らせろ！　河へも船を出せ！　川べりを探索するのだ！」

主人の命令を受けて兵士たちが一斉に散って行く。大変なものものしさだった。

まわりが少し静かになると、少女はこっそりと、男に囁いた。

「よほどきらわれてるらしいな」

「あやつが悪党だというい い証明だ」

こちらもこっそりと妙な弁明をする。

しかし、困ったことになってしまった。まわり中兵隊だらけ、おまけに近くの農村や領地にまで通達がいくに違いないという状況である。

「どうする？　おまえ、どっちへ行きたい？」

「理想は東へ向かうことなんだが……」

男は難しい顔になった。

一度は王と呼ばれた身だ。コーラルまでへの主要な道筋はむろん頭に入っている。だがそれは、敵もわかっているはずだ。

「どのみちすんなりとはコーラルへは入れまい。河に沿って一度南へ下ろう。遠回りではあるが、とりあえずここから離れることが先決だ」

「わかった」

河沿いといっても、まともに河の縁を進んだのでは、これまた河から丸見えになってしまう。

必然的に二人は森へと踏み込んで行ったのだが、すぐに男の足が鈍くなった。

その口から軽い舌打ちが漏れる。

予想以上に足下が不安定だったのだ。

森の中には切り株があり、草むらがあり、石が転がっている。くぼみもあれば段差もある。むき出しになった木の根もある。

昼間ならともかく、この暗闇では、男はそれらのものを見ることができないのだ。

今夜は月もない。

星の明かりだけで見知らぬ森の中を自在に進めるのは、夜に生きる獣たちだけだ。人の眼はそこまで鋭くはない。

かといって足下を照らすために明かりを灯せば、ここにいると追手に知らせるようなものだ。

速度の落ちた男に気づいて少女が駆けもどってきた。

「何してるんだ。急がなきゃ追いつかれる」

その通り。後ろを振りむけば、うごめく松明の明かりが、どんどん増えている。

男は絶望的な気分で、闇に塗りつぶされたような森を見回した。

「いかんな。この暗がりではどうにもならん。太陽さえ昇っていれば……」

「それじゃあ、おれたちの姿も丸見えだ。逃げるなら今のうちなんだぞ」

男は首を振った。

「だめだ。とても思うようには走れん。俺はこの森にはまるで土地勘がない。これがスーシャの森ならば闇夜でもある程度は進めるのだが……。ここはどこに何があるか、さっぱりだ」

少女は軽く息を吐いた。

「まるで見えないのか？」

「当たり前だ。明かりもなしに……」

言いかけた男の腕を少女がつかんだ。

くるりと背を向け、背負い投げの要領で男の体を浮かせ、楽々と背負い上げた。

「リィ！」

「さわぐな。走るぞ」

背負われたといっても、なにしろ相手はウォルの胸の辺りまでしかない少女であるから、男の足は地面を引きずりそうだった。慌てて振り解いて自分の足で立とうとしたのだが、そのときには少女は勢いよく走り始めていたのである。

ものすごい速さだった。

男は思わず少女の背中にしがみついた。

自分の足で歩いていた時には、ろくろく進めなかった森なのに、今は風が頬を切る。

少女は立ち止まりもつまずきもしなかった。

おまけに大の男を背負っているというのに、よろめきもしない。巧みに切り株をよけ、木の根をよけ、それでも不安定な起伏の多い地面を、少女は飛ぶように駆けた。

たまらず眼を細めながら男は叫んだ。

「おまえ、見えるのか！」

「これだけ星明かりがあればな」

驚いたことに松明の火も燃えおちる城もたちまち遠ざかる。人の声も気配も消えてしまう。

闇に慣れた眼がかろうじて捕えることのできる景色が次々と背中に消えていく。選りすぐりの駿馬ならともかく、人の背にあってはとうてい信じられない光景を、男は眼の当たりにすることになったのである。

どのくらいそうして走りつづけたのか、少女はやがて速度をゆるめ、少し開けた場所まで来て立ち止まった。

地面に下ろされるのを待つまでもなく、男は慌てて飛び離れた。

金髪の少女はさすがに息を荒くしていた。

決して軽い荷物ではなかったのだ。細い肩が大きく上下している。

男はといえば、驚愕の顔つきを隠せなかった。

今の今までその背に背負われていたのだが、自分のしがみついた細い肩や背中の下には、いったい何があるのかと急に恐ろしく、薄気味悪くなったのだ。

辺りは人の気配もない。深い闇に抱きすくめられた鬱蒼とした森である。

時折、梢がざわめき、夜鳥が低く鳴く。それが一層の不安を煽った。

「なんて顔してる」

額の汗をぬぐって少女は言った。

男は答えなかった。答えられなかったのだ。

大きな緑の瞳が、闇の中できらりと光ったような気がする。

その唇は、ひょっとしたら今にも耳まで裂けるのではないかと、らちもない妄想に襲われる。

そんな男の顔つきに、少女の赤い唇が、皮肉の混ざった苦々しい微笑をつくった。

「おまえもおれを化け物と呼ぶのか」

男は慌てて首を振る。

「違う。ただ……その、おまえのいたところでは、そこに生きる人は皆、おまえのような生き物かと思っただけだ……」

「だったら化け物呼ばわりなんかされない」

「…………」

「おれはどこにいても『異常』だった。この見た目の他はなにもかもだ。自分でそう言ってるのに人間ときたら、男も女も大人も子どもも、おれの外見だけを見て喜んで、ちやほやもてはやして触りたがる。そのくせ、ちらりとでもおれが自分らしく振る舞おうものなら、とたんに掌を返して化け物の大合唱だ。それなら初めから近づいて来なければいい」

「…………」

「おれは、おれだ。どんなに異様に見えようと、こういう生き物だ。それがどうしてそんなにいけない？」

男は、少女が泣くのではないかと思った。

憤然とした怒りに満ちた口調なのだが、その裏に何ともやりきれない悔しさと悲しみを感じたような、気がしたのだ。

「リィ……。グリンダ。おまえには一人の味方もいなかったのか？」

「…………」

「皆がみんな、おまえを化け物と呼んだのか？　本当に、一人残らず？」

大きく揺らいだ少女の表情に、男は質問の答えが『否』であることを知った。

「それならそう、すねたり悲しんだりするな。確かにおまえは、尋常の人ではあるまい。俺も、おまえが当たり前の少女であるとはもう思わない。だがな。おまえのその顔と姿は、女ならば誰であろうと心底から望むものだし、その足と剣の腕前は、男の誰もが切望するものだ。それほどの贈り物を次々と与えられていながら、ヤーニスに感謝も贈らず、呪いの言葉を吐きちらすなど、贅沢というものだぞ」

恐ろしくきっぱりと言いきられて、少女は大きく瞳を見開いた。

「おまえ……、ほんっとに変なやつだな」

「おまえに言われたくはない。第一、これで三度目だ」

少女はくすりと表情を緩めた。

男もにやりと笑いかけたが、すぐに顔を引き締めた。真顔で言う。

「確かに……おまえのことを少しも恐ろしくないと言ったら嘘になってしまうだろう。スーシャでもコーラルでも、おそらく他のどんな土地でも、おまえのような生き物のことは聞いたことがない。向かいあっている相手の正体がわからないということは、リィ。想像以上に恐ろしいことだぞ」

「………」

「だが、しかしだ。おまえは俺の命を救ってくれた。何度もだ。特に今は、おまえがいなければ、俺はまさしくあの燃えおちる城に取り残され、ここでこうして話していることもできなかったはずだ。たとえおまえが何であろうと、その恩を忘れ、命の恩人を化け物呼ばわりするほど、俺は恥知らずではないつもりだ」

「………」

「信じられないなら誓ってもいい。決しておまえを化け物とは言わない」

すると、少女がすぐさま言ったものだ。

「うかつにそんなことは誓わないほうがいい」

「いや、しかし……」

「誓いはいらない。そう言ってくれるだけで充分だ。だけどな、おまえみたいなのは人間の中では少数派だろう?」

よほど、この少女は他人に対して憚るところがあるらしい。

「そうかな?」

「そうさ。ダール卿のようなのが標準のはずだ。ああいうのならよく知ってる。どこにでも腐るほどいる人間だからな」

「腐るほどおられてはたまらんな」

真顔でぼやいた道連れに、少女はまた悪戯っぽい笑みを向けた。

「おまえ、そんなこと言ってるから、王冠はぎ取られるまで気づかないなんて間抜けたことになるんだぞ。人の正体なんてのはたいていがあんなもんだ」

「夢も希望もないことを言うやつだ」

男も苦笑して、

「しかし、あれはあれで使いようだぞ。ダールはペールゼンに心服しているわけではなく、その威勢を恐れて頭を垂れているにすぎん。ならば、対象が俺になったところで同じことだ。俺が王座を取りもどして国に号令する立場になったならば、ダールは真っ先に出向いて来て忠誠を誓ってくれるだろうよ。説得の手間が省けるというものだ」

少女はまじまじと男を見やっていた。

「またいつ裏切るかわからないものを、そんなに簡単に許してやるつもりか？」

「形ばかりでも俺に従い、頭を下げてくれるものを。許さぬ理由がどこにある？」

ちゃめっけたっぷりに男は言いかえし、

「相手の中に裏切りの根が残っていると承知していればいい。それだけでだいぶ違うものだ。後はその時考える。なんといっても俺は成りあがりの国王だからな。いきなり尊敬しろといったところで、まあ無理というものだろうよ」

しばらく黙っていた少女は、やがてにやりと笑って言った。

「おもしろいな」

「うむ?」

「ぜひともおまえに王冠をかぶせてみたくなった」

一瞬、絶句してしまった王様である。

この少女の子ども離れしていることは重々承知しているつもりだったが、その口調といい、気配といい、まるでひとかどの策士か剣豪が太く笑って味方を申しでたような迫力だったのだ。

「それは、頼もしい」

思わず相槌を打ってしまう。少女のほうはひょいと肩をすくめた。

「こんなところへ落ちてきて、真っ先におまえみたいな男と会ったのも、それこそ何かの縁だろうしな。暇つぶしにはちょうどいい」

「おいおい。俺にとっては一生の大事だぞ。暇つぶしにされてはかなわん」

「贅沢言わない。さ、行こう。とりあえずこの森を抜けるのが先決だ」

夜目の利く少女の先導で二人はその夜のうちに森を抜け、森を出たところで進路を少し東に変えた。といっても真東ではない。南東へと進み始めた。

男には何か心当たりがあるようだった。夜が明けると太陽の位置を確かめ、辺りの地形を確かめながら旅を続けた。

相変わらず肩を並べての行軍だったが、横を歩む少女を見る男の眼が完全に変わったのは言うまでもない。

無論、それまでもただの少女ではないと思っていたのだが、もしかすると本当に人間ではないのかもしれないと、半ば本気で思うようになった。

少女のほうも男を見る眼が変わったようである。

といっても特別な感情を抱いたというわけではなく、完全に『変な奴』として認識したようだ。

「断っとくけど、誉め言葉なんだからな」

と、少女は言った。

「あいにくと、とても誉められている気がせん」

と、男はぼやいた。

森を抜けてしばらく歩いた丘の上である。狩ったばかりの鳥の肉を少女が器用にさばいて昼食にするところだった。

焼きあがったばかりの肉に、行き会った猟師から手に入れた塩をふる。野外での食事としてこれ以上のものはない。二人して無類のごちそうに舌鼓を打った。

中央の権力争いは、首都から遠く離れたこの辺りでも噂になっているらしい。

途中ロシェの街道を横断したが、さまざまな話が二人の耳に飛び込んできた。

近いうちに新しい国王の戴冠式が執り行われるらしいというものから、それを阻止せんとウォル王が国王軍を結成して、すでにコーラル目指して進軍中であるというような話もあり、男は思わず苦笑したものだ。

軍隊どころか、今の自分が持っているものは、身ひとつの他には、味方を申しでている風変わりな少女一人なのである。

「ずいぶんと話が大きくなったものだ。国王軍とはな。人の口というものは弛《ゆる》み始めるときりがないらしい」

「おもしろいね。確かに」

少女は興味深げに頷いて、

「ここってコーラルからは相当遠いはずなのに、みんなやっぱり期待してるわけだ」

「そうかな?」

「そうだよ。噂がそうなってるんなら、さっさと国王軍、結成しちゃえば?」

あまりにもあっさりと、しかも真顔で言われてしまったので、男はまた苦笑した。

「俺はどんな神も信じないが、おまえは本当にバルドウが遣わしたものかもしれんな」

「ぼくもどんな神様も信じない」

少女は言って、腰に下げた剣に手をやった。

「信じるものはこの剣と、自分の腕と勘だ。あとは全力をつくして運を天に任せる。大丈夫、なんとかなるよ。正義は我にあり、だ」

「ほう。するとおまえは、俺を正しいと思ってくれるわけか?」

「ぼくはペールゼンも改革派も知らない。でも、きみが嘘を吐いているようには思えない。となると大嘘吐きの悪者は自動的にペールゼンのほうだってことになる。簡単な理屈だ」

確かに明瞭極まりない。

「ところでこれからどうするの?」

「ビルグナを目指す」

男は断言した。

「今の俺は誰が味方で誰が敵かわからない状況に置かれているが、間違いなく味方と言いきれる戦力もある。ビルグナ砦もそのひとつだ」

「もし、その砦が敵に回っていたら?」

「俺の命運もそれまでだ。王座奪回など到底不可能と諦めるさ。そうなったら、父の救出も単独で行うしかあるまいな」

「単独じゃないってのに」

自分を勘定に入れるのを忘れるな、と、少女は言っている。

男は苦笑しつつ詳しい説明を加えてやった。

「ビルグナの砦を守るのはラモナ騎士団。ティレドン騎士団と並んで、デルフィニアでも屈指の戦力のひとつだ。特にこの両騎士団は、団長同士も含めて堅い結束で結ばれている」

つまりラモナ騎士団と接触できれば、国王健在の報はたちまちティレドン騎士団に、つまりは国王の従弟、騎士バルロに伝わるというわけだ。

「だけどそんな重要地点をペールゼンが放っとくかな。真っ先に抑えにかかるんじゃない？」

「おそらくな。だが、ビルグナを力で抑えるのは至難の業だぞ。これに対抗しうる戦力はそうはない。ティレドン騎士団長のバルロは、間違ってもビルグナ制圧の命令など出さんだろうし、改革派は自分たちの身を守るために、一万の近衛兵団は手元に置いておかねばならんはずだ」

「あと使えそうな戦力は？」

「各地の大貴族と領主軍だろうが、これもな。下手に制圧に向かわせてビルグナと合流されてはたまらんだろうからな」

「ははあ。意外と敵味方の識別が難しい？」

「それはそうさ。ダールのようなのが標準だとおまえは言ったが、あれはある意味、まったくもって正しい意見だ。表向きはデルフィニアを掌握したことになっている改革派だが、本心から従っている者となると、さあて……。どのくらいいるか」

大多数の領主や貴族にとって、改革派のコーラル掌握は青天の霹靂だったろう。

表立って反抗する領主は一人もいなかったが、保身を考えればそれも当然のことだ。

改革派は王国の心臓部ともいえる首都コーラルと近衛兵団を押さえていたのだから、逆らうことはほぼ自滅に等しかったのである。

「ビルグナも改革派に面と向かって反抗はしなかった。——積極的な支持にもまわらなかったが、父の謀略説を一応は肯定し、改革派に賛同の意を示したはずだ」

「なのにビルグナを信じる根拠は？」

男は少し首を傾げて考えた。

「俺はあの騎士団を知っている。団長の人柄もよく知っている。それだけだ」

「それだけね」

少女は何か冷やかすようにその言葉を繰り返した。

「いいね。そういうの。すごくいいよ」

「馬鹿にしているな？」

「まさか。誉めてる」

悪戯っぽい笑みを向けられて男も笑った。

十一歳も年下の少女だというのに、その気構えといい、心のあり方といい、自分とよく似た何かを感じるのは気のせいだろうか。

デルフィニア人でもないのに自分の味方をしてくれるという。しかも何を目当てというわけでもない。報酬のことなど考えてもいない。自分で言うように単なる気まぐれか暇つぶしで助力を申しでてきたのである。

それもいい。と、男は思っていた。

型破りは男自身のそれでもある。

森を抜けた辺りから高地が続き、一面の緑に覆われた、ゆるい丘陵地帯が現れた。

山というほど険しくはないが、平地を歩むようなわけにはいかない。並の人間なら、とたんに足が鈍るところだが、二人は楽々と斜面を越えていった。

少し高い丘に登ると、すばらしい展望である。

「いい空気だ……」

深く息を吸い込んで少女が言った。

「緑が好きか？」

「うん。ウィンザ城みたいなぴかぴかより、ずっと好きだな。このほうが落ちつくよ」

「まったくだ」

男も笑った。

「俺もこういう空気は肌に合う。スーシャの緑はもっと深いがな」

「山の中なの？」

「というよりは森の中だ。気候も厳しい。今の時分ならまだ雪も残っている」

男は感慨深げである。

「スーシャはデルフィニアでも、もっとも北に位置するところだ。それこそタウが眼の前でな。恐ろしいくらいの威容だった。何もない、暮しにくい田舎だと人は言うが、俺は美しいところだと思っている」

少女が真顔で頷いた。

「わかるよ」

男は黙って少女を見やった。その口調からして、この少女の見覚えているところも、かなり厳しい土地柄なのだと思った。

「コーラルはどんなところ？」

「それはもう、この辺りの景観が嘘のような町並みだ。ある意味ではダールの城よりぴかぴかしているかもしれんぞ。なにしろ押しも押されぬ文化の一等地だからな」

少女は困ったように顔をしかめた。

「苦手なんだけどなあ。そういうの」

並はずれた健脚の二人がビルグナ砦にたどり着いたのは、ウィンザを脱出してから三日目のことだった。

7

問題の砦はウィンザ城と同じく飾り気のない武骨な姿だった。違うのはひとつだけ高い塔がそびえていることと、その大きさだった。

軽く倍以上はある。何といっても全体の雰囲気が大きく違っていた。

塔の上には物見台が設けられ、見張りが眼を光らせている。さらに近づいてみると、城壁に見えた外壁部分はどうやら巨大な塀のようだった。

その塀のあちこちに矢狭間が設けられ、正門に当たる部分には近づくものを確認するための詰所まで造られている。

これは本物の戦闘用の要塞だった。

まっすぐに近づいていった二人は見張りの兵士にたちまち見つけられ、大声で問いただされた。

「止まれ！　何者だ！」

正門横の二階の窓からの問いかけである。たった二人を相手に大げさなことだが、それだけこの砦の規律は厳しいということだ。

男はその兵士を見上げて大声で言い返した。

「ラモナ騎士団長に伝えろ！　主君が会いに来たとな！」

「なに？」

その兵士は一瞬いぶかしげな顔つきになった。

長旅を続けてきたと一目でわかる、少女一人を連れただけの自由戦士が、なぜ、自分たちの指揮官を臣下扱いにするのかと思ったのだ。

「この野良犬めが！　世迷い言をほざくな！　我がラモナ騎士団はデルフィニア国王以外の主君は持たん！」

「その王だ！　馬鹿ものめ!!」

「……ひ、ひえっ⁉」

驚愕のあまり、その兵士は二階の窓から転がり落ちそうになった。慌てて身を乗り出して、真下に立っている男の顔を眼を凝らして検分にかかる。

男は半年の放浪生活で髪も伸びている。ウィンザ城で着替えはしたが、その後すぐに川に飛び込んで野山の行軍を続けてきたのだから、衣服もだいぶくたびれている。

この風体で王と名乗っても信じろというほうが無理だが、見張りの兵士はまじまじと男の顔を見やった後、感極まった絶叫を上げたのだ。

「ま、まさしく国王陛下！　いやご無礼をお許しください。よくぞご無事で……ご無事でお戻りくださいました！　ああ、ありがたい!!」

「その王をいつまで道に立たせておくつもりだ！　橋を下ろせ！」

「は、ははっ！　ただちに！」

内部が急に慌ただしくなる。国王帰還の報が砦のあちこちに飛んでいるのだ。

少女がそっと声をかける。

「さすがに、貫禄だね」

「ひやかすな」

砦の入口は巻上式の橋になっている。人が出入りするたびに一々開閉するのは大変な労力のはずだが、外からの侵入を防ぐためだとしたら、この砦はまさに実用品だ。

やがて橋が下ろされると、真っ先に駆け出して来て国王の前に膝をついたのが、ラモナ騎士団長、ナシアスだった。

「陛下！　ウォル・グリーク国王陛下！　どれほどこの日を待ちわびましたことか！」

その声にも男を見上げる瞳にも、真情があふれている。

ナシアスは男よりふたつ、三つ、年上に見えた。

砦を預かる責任者としてはずいぶん若い。

それに加えて、優しい柔和な面差しと、すらりとした痩身は、騎士団長というのがちょっと信じられないくらいだった。詩人か学士といわれたほうが納得がいく。

ほとんど涙ぐまんばかりのナシアスに、ウォルも瞳を潤ませて言葉をかけた。

「苦労をかけたな。ナシアス」

「いいえ、いいえ。わたくしごときの苦労など、陛下のご苦労に比べれば。それに僚友ティレドン騎士団長の難儀に比べれば、いかほどのものでもございません」

「バルロが、どうした？」

ラモナ騎士団長は大きく表情を歪めている。

「コーラルでは、実は、すでに陛下は亡き者も同然と思われ、ためにティレドン騎士団長に強引に王冠を継がせようという動きが慌ただしくなっております。いえ、むろん我が友は、騎士バルロは、陛下のものであるべき王冠を我が物にしようなどと考える人間ではありません。ですが、それだけに……それだけに、いろいろと……」

ラモナ騎士団長の言いたいことはウォルには充分よくわかった。

本人がいくら拒否するつもりでいても、今の世論がバルロにそれを許さないのだ。

「人の話によりますと、騎士団長はまるで人質も同然の生活を送っているそうです。二重三重に監視され、脱出もかなわず、国王代行の肩書きを押しつけられているのでございます。このまま無政府状態が続けばデルフィニアは壊滅的な打撃を受けるであろうとの脅し文句には、あの騎士バルロもなす術もなく屈するしかございません」

「案ずるな。ナシアス。あの従弟どののことだ。たとえ人質状態にあろうと、あの毒舌と皮肉家ぶりが改まるわけもない。ペールゼンにしてみればさぞや扱いにくい人質であろうよ」

ナシアスの唇に同意を示す笑みが浮かんだ。

「まさしく。我が友にしてあなたさまの従弟、ノラ・バルロはそれほど弱い人間ではありません」

それから軽口を改め、深々と頭を垂れた。

「陛下、本来ならば陛下のご帰還を祝って鐘を鳴らし、盛大な祝賀式を催すべきなのですが、この状況下ではそうも参りません。敬意に欠けますことをお許しください」

「何をか言わんやだ。そんなことをすれば、国王がここに健在ということを大声でふれまわるようなものだぞ。それよりも尋ねたいが……」

男はナシアスの肩を抱いて立たせ、真剣な顔で問いかけた。

「フェルナン伯爵が投獄されたと聞いたが……」

騎士団長も苦しい表情になる。

「伯爵はあくまで身の潔白を主張され、改革派に従うことを断固として拒否されました。おそらくペールゼンは未だに陛下を慕うものたちへの見せしめに、伯爵を捕えたのでしょう……」

男は低く唸った。

近くにいた騎士が勢いよく言う。

「ですがこうして陛下がお戻りになられたからには、改革派の横暴など許してはおきません。ペールゼンはデルフィニア全土を押さえているかのような大口をたたいておりますが、実際に掌握しているのはコーラルを含むわずかな地域のみ。ほとんどの領主は中立の立場を取っております」

「わかった。まずは何か食べるものをもらいたいな。それからコーラルの様子を詳しく聞かせてくれ」

「お任せください」

ラモナ騎士団長を始め、主だった騎士たちは残らず国王を出迎えに来たわけだが、王の横に立っていた少女に注意を向けたものは一人としていなかった。身のまわりの世話をさせる小者か何かだと思っていたらしい。いつものように白いきれで頭を覆っていたし、川に飛び込んだあと、まる三日歩き続けて、輝くような美貌がだいぶ色あせていたせいもある。

だから男が少女を手招き、自分より先に橋を渡るよう指し示した時は、一同唖然としたのだった。

「陛下。その娘は？」

尋ねたナシアスに男はあっさりと、

「これはグリンダだ。俺の友人だ」

そう紹介した。

「おとも……だちで？」

「ああ、そうだ」

そう言われても、騎士たちには納得がゆきかねるようだった。

若い騎士などは明らかな疑惑のまなざしで少女をじろじろと眺めている。

ナシアスもまた首を傾げつつ、問いかけた。

「その、失礼ですが、どういう身元の娘でございますか？」

「俺も詳しくは知らん」

その場がざわっとどよめいた。若い騎士の一人などは意気ごんで主君に迫った。

「おそれながら、国王陛下に申しあげます。たとえ娘一人といえども、氏素姓の知れぬものをお傍に置かれますのはいかがなものかと……。なんと申しましても今の陛下は王座奪回を控えた大事なお体。いくら用心しても、すぎるということはございません」

団長ナシアスが頷いて、

「もっともです。この娘の素姓と、それから在所が何処なのかは確認せねばなりますまい。見たところ、平民の娘のようですが、それにしてはその剣はなにごとです？こんな子どもには扱いかねる品でしょうに……」

「実に楽々と使っていたがな。まあ、聞け。この娘は俺の命の恩人なのだ。国王たるもの、受けた恩を忘れるわけにはゆかんからな。手厚く遇してやらねばならん」

別の騎士が眉をしかめて言う。

「しかし、もしも生まれの卑しいものでしたら、どうなさいます？ 陛下のお身のまわりを務めようというならば、それ相応の名誉ある家の出身とあるべきです。下賤の娘を……しかも剣を腰にした下賤の娘なぞを、陛下のお傍に近づけるわけには参りませんぞ」

ウォルは肩をすくめて少女を見た。

少女も肩をすくめるだけで、答えに変えた。

「どうした。娘？　在所はどこなのだ？　両親の名は？」

少女に詰めよる若い騎士の態度には、たとえ小娘一匹といえども、得体の知れないものを王の傍には近づけるまいとの決意が現れている。

少女は黙って首を傾げている。

「まあ、待て。この娘はずいぶん俺の役に立ってくれたのだ。身元はわからなくともこの先の首都奪回のためには欠くことのできない人材だ。あやしげなものでないことは俺が保証する」

本当はどうだかわかったものではない。

馬と駆け比べをして勝ちを収める足を持ち、大の男を軽々と持ち上げるだけの力を持ち、星の明かりだけで獣のように自在に動ける眼を持っている。

そんなものがあやしくないわけはないのだが、男は命を救われた相手に対して誠意をつくすことに決めていた。

国王の言葉に騎士たちも不承不承引き下がったものの、娘を取りまいて口々に話しかけた。

「これ、娘。おまえは陛下のためにどのような働きをしてみせたのだ。過分なお言葉ではないか」

「うむ。おまえのような小娘が陛下の命の恩人とは、身にあまる名誉だぞ。いささか理解に苦しむところだが……」

「詮索はよせ。陛下はこの娘のことを忠実であるとおっしゃったではないか。今は一人の味方も惜しいところなのだぞ。これからも誠心誠意お仕えしてくれ」

「まったく」

しきりと頷きあっていた騎士たちだが、少女は何を思ったか、その囲みを抜けた。

そして砦とウォルに背を向けて歩き出した。

「リィ！」

ナシアスと話していたウォルが気づいて大声を上げた。

「リィ！　どうした⁉」

聞こえているはずなのに少女は振り返らない。

どんどん遠ざかって行こうとする。

男は慌てて後を追った。

「陛下！」

騎士たちもぞろぞろと後を追う。

普通の歩調で歩いていた少女に追いつくのに、たいした時間はかからなかった。

少女はそれでも足を止めようとしない。男は肩ごしに忙《せわ》しく話しかけた。

「リィ。どうしたのだ。コーラルは方向が違う。そっちではないぞ」

金髪の少女は足を止めて振り向き、真っ向から男の顔を見上げたのである。

「ここでお別れにしよう。きみはコーラルへ行けばいい。ぼくは他のところへ行く」

「リィ⁉」

男は驚いた。

「なぜだ。俺とともに来ると言ったのは、手伝うと言ったのはおまえのほうではないか」

「ウォルのほうこそ、自由戦士だと言ったぞ」

「…………」

「仕える主人も持たず、領地も持たず、剣一本で世を渡っている自由戦士。そう言ったはずだ」

「それは、あの時はそう言うより他に……」

「おれも自由戦士だ」

少女はきっぱりと言った。

「おれが手伝い助けようと言ったのは、おれの剣を役立ててもいいと思ったのは、同じ戦士の心を持つものに対してだ。人に命令したり、忠誠を求めたり、自分のために役立つように強制したりするような奴のためにじゃない」

「リィ。それは……」

「この剣と戦士としての誇りにかけて。おれは誰にも命令はさせない。そんなことは許さない。まして誰かに忠誠をつくしたり、仕えたり、ありがたいお誉めの言葉なんかもらうのを喜びにするのはまっぴらだ」

緑の瞳に怒りの炎が燃えている。

後をついて来た騎士たちは、少女のものの言い方に驚きを隠せないでいる。

男は真剣な顔でゆっくりと首を振った。

「誓って、おまえを臣下と扱うつもりはない」

「おまえがそう思っていても、まわりが許さない。どこの馬の骨とも知れない小娘が、国王にこんなものの言い方をして、なれなれしく友達扱いにするとはとんでもないことだと言うはずだ。おれか、おまえの臣下か、そのうちおまえはどちらかを取らなければならなくなる。コーラル奪回のためには、おれ一人よりも大勢の兵士こそがおまえには必要なはずだ。だからここで別れる」

「リィ。待ってくれ」

少女の言うことはまさしく的を射ている。今までのどんな場合もそうだったように。だからこそ、今ここでこの少女と別れることなどできなかった。理屈ではない。計算でもない。

男の心のもっとも深いところが、そう言うのだ。

「おまえの言う通り、いかにも俺が国王だ。ならば臣下の者には俺のやり方に従ってもらう。おまえは俺の友だ。誰にだろうと文句は言わさん」

きっぱりと断言する。

「もし、おまえを友と扱うことで部下たちが俺の味方をしないというのなら、仕方がない。おまえと二人で父を救いにコーラルを目指そう。ロシェの街道でおまえが言っていたようにな」

決意に満ちた男の口調に、少女の心は少し揺らいだようだった。男はちょっと口元をほころばせる。

「第一、おまえ、どこへ行く当てもないと言っていたではないか。おまけにこの辺りの地理もわからない。それならここにいろ。今から俺のように物わかりのいい道連れをみつけるのは至難の業だぞ」

「言い方がかわいくないぞ、おまえ！」

即座に言い返した少女だが、少し紅潮しているところを見ると、図星をついたのかもしれなかった。

少女にとって、ここは未知の世界なのである。

相手がこの風変わりな男だったからこそ、その素姓に疑問も抱かず、余計な詮索もせず、話し相手になってくれて、少女の常識の足らなさを補ってくれていたが、一歩間違えば異端者として追われる可能性も充分あるのだ。

少女は自分で言うように、その外見のほかは、ものの考え方も、能力も『異常』としか言いようのない存在だったからである。

しかし、だからといって、この少女は素直に折れたりはしない。一回りも年の違う男を見上げて憤然と言い放った。

「まわりくどいことを言ってないで、傍にいて欲しいならそう言って頼んだらどうなんだ！」

「では、頼む。傍にいてくれ」

真顔で言った男に少女は一瞬、二の句が告げなかった。

ナシアスをはじめ、騎士たちもあっけにとられた顔つきでいる。

「それとも膝を折って頼まなければだめか？」

少女は急いで首を振った。

この男にそんな真似はさせられなかった。

「リィ。俺には、もはや選択の自由さえもない。コーラルを取り戻し、王権を奪回するより他に道はない。今となっては強制されたからではなく、自分の意志でそうするつもりだ。堂々と俺の敵と戦い、倒すつもりでいる。だからこそ、おまえにいてもらいたい。臣下としてではなく、頼みになる友として力を貸して欲しい。そもそも俺はおまえに三度までも命を救われ、その恩にまだ何も報いてはいないのだぞ。それを思えば、俺が何をすればいいのか、おまえが命令してくれてもいいくらいだ」

「………」

「俺はこれ以上の臣下は望まん。王座を追われたとはいえ、忠実な部下たちが俺には大勢いる。彼らはペールゼンを倒すために俺に力を貸してくれるだろう。——だがな、リィ。昔の少年のころのように俺の名を呼んでくれるものは、もはやただの一人もおらんのだ。かつての友人たちは皆俺に恭しく頭を下げ、たとえ個人的な席でも陛下だの国王だのと堅苦しい態度を決して崩さない。父でさえそうなのだ。一人ぐらいは、ウォルと、その名を呼んでくれる友が欲しいと思うのさ。おまえにそれを望んではいけないか？」

　少女はしばらくじっとたたずんでいた。

　男も黙ってその答えを待っていた。

　やがて少女はゆっくりと言った。

「おれは、王様のロウ・デルフィンなんて人は知らないぞ」

「ああ」

「今までみたいに怒鳴りつけたり、かつぎ上げたりするぞ」

「ぜひ、そうしてくれ」

　頭ひとつ分以上も身長差のある二人は、互いの眼と眼をのぞきあって、同時に微笑を浮かべた。

「ほんっとに変な王様だ」

「誉め言葉と取っておこう。来てくれるな？」

　少女は頷いて、啞然としている騎士団一同に眼をやった。

　気の毒に、眼の前の情景がとても信じられないという顔つきである。

多難な前途を象徴しているようで少女はため息を吐き、いたずらっぽく笑った。

「どうなったって知らないからな」

「かまうものか。もしおまえに身分がないのがいけないというなら、そうとも。俺が適当な身分を与えてやるさ。皆が納得しておまえの前にひざまずくだけの身分をな」

「勝手にそんな都合のいいこと……」

「王というものは、そういうことだけは便利なものだ。そうさな。いっそ、デルフィニア王女、グリンディエタ・ラーデンというのはどうだ?」

緑の瞳が真ん丸になった。

「なんだって?」

しかし、男は自分の思いつきがすっかり気にいったようで、何度も頷いている。

「うむ。そうだ。我ながらいい考えだぞ。そうすれば民衆も貴族たちもおまえを度外視はできん。いやでも敬わねばならなくなるさ。俺は今のところ一人身で子もないし、王国の後継者はぜひとも必要だったところだし、そうしよう」

「そうしようって、ちょっと……ウォル!」

しきりと頷きながら踵を返して砦へと戻っていく男に少女は慌てて追いすがった。

「ちょっと待ってってば! 冗談じゃないぞ! そんなの!」

男は答えない。

笑いながらずんずん歩いていく。

後に取り残されたラモナ騎士団は、あっけにとられて主君の後ろ姿を見つめている。

「ウォル！　こら！　王様がそんな無茶苦茶なこと言ったら駄目じゃないか！」

息せききって追ってきた少女に男はやっと振り向いて、にやりと笑った。

「いけないか？」

「当たり前だ！　だいたい王子だの王女だの、いきなりでっちあげられるもんか！」

「そんなことはないぞ。現に何代か前の王は、愛した平民の娘をそのままでは体裁がつかんというので、一度貴族の養女としてから王妃に迎えるという離れ業をやってのけたし、もっと前には、子の生まれぬことを案じた王が親族の子どもを養子として迎えたという事実もある。なんとでもなるさ」

なおも抗議しようとした少女を制して、男は悪戯っぽく笑った。

「無事にコーラルを奪回できたらの話だ。今すぐにどうこうというわけではないぞ。俺はな、それまでのおまえの活躍ぶりいかんでは、間違いなく、黙っていても皆はおまえに一目置くようになるはずだと思っているからな」

「何を考えてるんだ、まったく」

少女のほうが疲れたような呆れ顔になる。

「どうせ俺はまともな王ではないからな。あきらめてもらうさ」

男は豪快に笑っている。

「俺もこの剣に誓おう。コーラルを取り戻したら、その時は誰もがおまえを敬い、俺に対してどんな言葉をかけようとも咎めだてたりしないだけの地位を与えると」

「いらないって言うのに。それじゃおれは地位が目当てでおまえの味方をするように聞こえるぞ」

「おまえがそんなものを望まんということは俺が誰よりよく知っているさ。単に俺の気持ちの問題だ」

この時、取り残されていた騎士たちがようやく驚愕から立ちなおり、慌てて主君の後を追いかけて来た。

「陛下！」

「ナシアス。聞いての通りだ。俺はこの娘を友として扱う。おまえたちがどう思おうとそれは勝手だが、俺に対する態度や口のきき方に注文をつけたりはするな。怒ると怖い娘だぞ」

「いや、ですが……」

騎士団長は単に驚いているようだが、他の騎士たちは明らかに渋い顔で、それでは下のものに対する示しがつかないと口々に言いたてた。

男は、この抗議に首を傾げて、

「やはり王女ということにしてしまうか」

すかさず少女が、

「要《い》らないと言ってるんだ」

「そうかな。悪い考えではないと思うのだがな」

「ぶん殴られたいのか」

この脅しに聞いていた騎士団一同は、ぞっと震えあがったのである。

しかし、男は気分を害した様子もなく、むしろ楽しそうに笑っていた。

「わかった。わかった。とりあえずコーラルを取り戻してからのことだ」

笑いながら少女を促し、砦の橋を渡った。

入ってすぐのところは広場になっていた。

その広場を囲むようにいくつかの建物が点在している。

左手には馬屋があった。その横に並んでいるのは家畜小屋のようである。正面よりやや右には塔を備えた立派な建物があり、これが砦の中心らしい。そこから屋根つきの渡り廊下が伸び、右手の建物に続いていた。

この建物は一階建てで、入口は壁を切りとっただけだった。台所のようである。中では若い騎士たちが忙しく働いていた。

ほかにも兵舎らしきもの、礼拝堂らしきものが、広い敷地内に整然と並んでいる。この砦はきちんとした四角形ではなく、不規則な多角形を描いているらしい。

「ウィンザ城とは全然違うね」

少女が驚いて言った。

ウィンザ城は正方形の建物だった。内部にこんな空き地部分は見当たらなかった。

「ひとつにはあれだ。ウィンザと違ってこのビルグナでは、まず水の確保が問題になる」

男が指し示した右手に大きな井戸がある。

「この広場は馬場にもなるし、騎士たちの鍛錬の場にもなる。なにより危急の際には、近隣の農民たちがここへ避難してくる」

「ああ、そういうこと」

少女は納得して頷いた。

「だけど、これだけ立派な騎士団があるなら、何も危ないことなんてないんじゃないか?」

これには二人の後からついてきていたナシアスが、こほんと咳払いをしたものだ。

「そう簡単にはいかないのだ。海からは遠いビルグナだが、まれに海賊が村を襲撃することもあるのでね」

「海賊。いるの?」

少女はちょっと眼を丸くしてから、年齢も体重も倍はありそうな騎士団長に向かって大まじめに話しかけた。

「自己紹介がまだだった。グリンディエタ・ラーデン。リィだ」

「ラモナ騎士団長ナシアスだ」

つられて名のり返し、何とも言いがたい顔になったナシアスである。

他の騎士たちも同じく、どうも釈然としない顔つきでいる中、男と少女は砦の中心を成している塔へと歩いていった。

国王帰還を待ち望んでいたビルグナだが、極秘を要するとあって、華々しい宴などは行われなかった。団長ナシアスを始めとする限られたものたちが、その夜、国王と食事を共にし、コーラル奪回の方策を密やかに検討しあったのである。

その席に少女は当然のように混ざり込んだ。

男は寝るようにとは言わなかったし、少女のほうも話の輪からはずれるつもりはなかったのだ。

ここまでくると、さすがに団長のナシアスだけは平然としていたが、他の主要な騎士たちはあいかわらず苦い顔である。

しかし、話を始めると、そんなことは忘れてしまった。

問題があまりにも重大だったからである。

「なんといっても一万の近衛兵団。これが大きゅうございます。本来なれば陛下の管轄に入るべき兵力ですが、今はペールゼンの直轄という有様でして、これをどうにかしないことにはコーラル奪回はとてもとても……」

「しかし、ビルグナを以てしても一万の近衛兵団を相手にするのは至難の業です。頼みのティレドン騎士団はバルロさまを人質に抑えられているものですから動くに動けず、またヘンドリック伯爵、アヌア侯爵、ドラ将軍らのご家臣も、主人に万が一のことがあってはと行動を控えております」

「となると必然、頼みとするのは地方領主たちということになるな」

「いかにも。どの領主も今のところ表立ってペールゼンに反旗を上げる心積もりはないようですが、陛下がお戻りになったことを明かし、陛下こそが正当なデルフィニアの国王であると明らかになされれば、彼らの考えも変わりましょう」

「ふうむ。しかしな。俺は先代国王の遺児たちの暗殺を企んだ悪人ということになっているからな」

この意見にはナシアスを始めとする騎士たちが熱心に反論した。

「確かにペールゼンはそう主張し、陛下を貶めようと謀りました。しかし、それが偽りであることは今ではほとんどのものが知っております。他でもない、現在の改革派と称するものたちの行いこそが、陛下の潔白を証明しているのです」

少女が感心したように言ったものである。

「状況はきみに有利みたいだな」

「そのようだ。少なくとも、人の心証という限りにおいてはな」

「何よりじゃないか。これはもう、まっすぐコーラルを目指したらどうだ。ここに国王がいるぞと声を上げていくだけで、コーラルにつくころには二、三千の軍隊ができあがってるんじゃないか?」

「俺もそれは考えた。だがな。下手に接近すれば、ペールゼンがどんな手段に出るかわからん」

「フェルナン伯爵のことか?」

「そうだ。まして伯爵は俺の妨げになるくらいなら、死を選ぶ人だけにな」

男は難しい顔で考え込んでいる。

少女は少し考えて、コーラル城の造りを尋ねた。

「コーラル城は横から見るとかなりの斜面の上に建っている。もっとも低いところは市街地、もっとも高いところはすでに山腹だ」

「山の途中からふもとにかけて造られているわけだ。……階段だらけだな」

「そうでもない。整地は万全だし、傾斜も緩やかだしな。まあ、階段が多いのは確かだが、問題はその立地だ。王宮の背後は途端に傾斜が険しくなるパキラ山脈の壁だ。難所続きの上に、狼が多く棲息するからな。越えるのはまず無理だ」

「守りにはちょうどいいわけだ。後ろが駄目なら正面は?」

「なお悪い。あの城は正面も側面も三重構造になっている」

男は簡単な図を描いて、

「一番外側にあるのが大手門。市街地と城との境目だ。次が廓門《くるわもん》、一番上にあるのが正門」

「門はみんな同じ方向を向いてるの?」

「そうだ。つまりは外壁をくぐってから、城の中枢へたどり着くまでに、ふたつの関所があるようなものだ」

男は説明の続きにかかり、

「大手門から廓門までの間を三の郭と呼んでいるが、ここには兵舎、馬場、家畜小屋、食料貯蔵庫などが点在している。廓門から正門までの間は二の郭だ。家臣たちの屋敷の他に武器庫、むろん兵舎もある。正門内は一の郭、王城の最上部分であり、中枢でもある。執務室を始めとする本宮に、宝物庫、王族のためのいくつもの離宮。元老院、礼拝堂などだな」

「となると相当大きいな」

「むろんだ。コーラル市全土の三分の一を占めている」

「人の出入りはどうなってる？　一般市民が城の中へ入ることはできる？」

「三の郭までならばさして難しくはない。正面玄関である大手門を市民が通り抜けるのは無理だろうが、外壁には他にも四つの通用門が設けられているからな。昼間なら皆気軽にやって来るぞ。兵士たちの家族が差し入れにも来るし、何か困ったことが起きた時の陳情所も三の郭にあるからな。しかし、めったなことでは廓門はくぐれない。まして一の郭への正門となると……、よほどの理由がなければ無理だろうな」

「よほどの理由か……」

少女も難しい顔で頷いてから、

「伯爵が捕まっているのはどの辺りだと思う?」

と、訊いてきた。

「間違いなく、一の郭、北の塔だろうよ」

「それで他の将軍や侯爵は自分の家に、つまり二の郭に閉じこめられているわけだ」

「おそらくな」

少女も男も考え込んでしまった。

下手に攻め込んでいくと、その人たちの命にかかわるのだ。かといってこのままにしておくわけにもいかない。

会談に参加したナシアスも、深刻な事態に難しい顔でいる。

「我々がコーラルへの進軍を今日まで思いとどまりましたのも、それが原因なのでございます。おそらくペールゼンは、暗にティレドン騎士団長他の、重鎮方の命を盾にしてくるに相違ございません」

もう一人の騎士がやはり悔しげに、

「我々は犠牲を惜しむものではありません。我がラモナ騎士団が全力を以て攻めかかれば、相手が近衛兵団であろうとも五分の勝負を譲るものではありません。しかし被害のほども甚大。まして多数の血を流した結果、仮に勝ちを収めたとしてもその方々の身命が失われた上でのことでは……」

「意味がないね」

　少女が言った。

「コーラルを取り戻したとしても、首都は半壊、味方は全滅じゃあ、ウォルは裸の王様だ」

　ナシアスは柔和な顔にさすがに苦いものを張りつけ、その横にいた副官らしい屈強な騎士が、これは顔面を真っ赤にして身を乗り出した。

「よいか。娘」

「なんだい、男」

「男ではない。ガレンスだ！」

「リィだよ。ガレンス」

　両手を握り締めたガレンスは精一杯穏やかな声で言った。

「陛下の思しめしとあるならば止むをえん。わたしはそれに従おう。おまえに対しても行動の自由を保障しよう。しかしだ、恐れ多くも陛下を、その、御名で呼びつけるとは無礼ではないか」

「ガレンス。名前ってのはそのためにあるんだ」

真顔で言いさとした少女に、ガレンスは震える手を自らの髪に突っ込んだ。

その横では騎士団長が、どうにもこうにも困り果てた表情で、ゆっくりと首を振っている。

そんな相手を少女は気の毒そうに見やり、

「あのね。ぼくを女の子だと思うから腹が立つんだよ。あんまり気にしないほうがいいんじゃないのかな?」

何とも親切丁寧な少女の意見に、二人とも今度はげっそりと肩を落としたが、さすがに先に立ちなおったのはラモナ騎士団長のほうである。

ナシアスはなかなかの美男子で、洒落ものでもあった。衣服にも頭髪にも手入れがゆき届いている。恐らくは感情の乱れや受けた衝撃をそのまま外に出すことに抵抗を覚える種類の人間なのだ。

「では尋ねるが、きみは何故、コーラル奪回に反対なのかな?」

「間違えないで。強引なやり方に反対なんだ」

「どうして?」

優しげに、おもしろそうに尋ねたナシアスである。

子どもをあやす時の大人の顔だった。

少女はそれに気づいたのかどうか、ことさら子どものような口調で、

「だって、お城に捕まってるのは、いきなり田舎から降って湧いた私生児の王様に忠誠を誓ってくれるような貴重な人たちだろ？　ある意味ではすごく物好きだけど」

後になってガレンスは、もう少しで剣を引き抜くところだったと親しい友人に語ったものだ。

そんな葛藤に気づいているのかどうか、少女は真顔になって、

「逆をいえば実に見る眼がある人たちだ。ペールゼンに従ったほうが安全で得なのに、ウォルのほうが何倍も値打ちがあることをちゃんと見抜いてる。つまり、デルフィニアの立てなおしにはどうしてもその人たちが必要ってことになる。死なせるわけにはいかないよ」

ナシアスはちょっと眉を上げて軽い驚きを示した。

「きみは、すでにコーラルを取りもどした後のことを考えているのかな？」

「当たり前じゃない」

「小娘が。何を呑気なことを言っている」

ガレンスがまた声を荒らげて、

「それがどれほどの難行だと思っている。敵は精鋭を以て鳴る一万の近衛兵団だぞ。しかも中央の真珠と謳われるコーラルだ。いざとなれば半年や一年は軽く籠城してみせるところなのだぞ」

「あれ？　ビルグナの戦力なら、その近衛兵団とも互角に戦えるって言わなかった？」

ガレンスはぐっと言葉に詰まった。

少女はにこりと笑って、

「正面からぶつかれなんて言わない。コーラルを傷物にしたんじゃ意味がない。簡単じゃないのもわかってる。だけどね、ここにちゃんと本物の王様がいるんだから、王冠戴《の》っけてあげるのが筋ってもんじゃないか」

当の王様が小さく吹きだし、少女に向かって丁重に頭を下げた。

「かたじけない」

「どういたしまして。ついでに言うなら戴っけるだけじゃ駄目だ。肝心なのはその後だ。二度とこんなことが起きないようにしなきゃならない。誰もがウォルのことを本当の王様だと認めて敬うようにしなきゃならない。でないと必ず第二、第三のペールゼンが出てくる。そのための足場固めには、お城に捕まっている人たちの協力が絶対に必要なはずだ。違う?」

　違わない。

　少女は啞然としているガレンスを尻目に、ウォルに向かって話しかけた。

「国王軍の結成は置いとくとして、とりあえず様子を見にコーラルまで行ってみたらどうだろう?　なんならぼくが町の子どもみたいなふりをして探ってみてもいい」

　男は口の端だけでちょっと笑った。

「悪くない考えだ。いきなり大軍を率いて行くのは俺もどうかと思う。近衛兵団に確実に対抗できる戦力が集まらないとなれば、なおのことだ。今のコーラルの状態をまず確かめたい」

「じゃあ、明日早速コーラルを目指して出発しよう。どうする?　きみとぼくの二人だけで行く?」

「いや、陛下。それは……」

　さすがにナシアスが口を挟んだ。

　目立たないようにコーラルまで近づくことを思えば、確かに人数は少ないほうがいいのだ。

　しかし、国王の傍についているのが、この少女一人だけというのは承服しかねる事態である。

「ぜひとも、我が騎士団のうちから、せめて一小隊をお連れください。コーラルに近づけば、陛下のお顔を知るものも増えて参ります。その者たちの口からペールゼンの耳に入っては取り返しのつかないことになります。陛下の身をお守りするためにも護衛は必要でございましょう」

「それは構わんのだが……」

男は言いかけて困ったように少女を見た。

少女も肩をすくめて見せた。

「それは構わないんだけど、この騎士団に、ぼくより強い剣士が何人いるのかな？」

ガレンスが飛びあがった。

「おのれ！　小娘！　陛下の御前ゆえ我慢に我慢を重ねたが、もう勘弁ならん！　その性根を叩きなおしてくれるわ！」

「ほんとに、みんな判で押したみたいに、同じこと言うなあ」

少女は笑っている。

「これでぼくがきみを倒したら、やっぱりみんな判で押したみたいに『これは人間ではないぞ』って合唱するんだ」

「誰が言うものか！　ええい、この、こ生意気なちびすけの分際で！」

「じゃあ、ガレンス。賭けをしようよ」

「なんだと！」

「いちいち怒鳴らない。頭に響く。今日はもう遅いから明日の朝、きみとぼくで腕試しをしよう」

身を乗り出して吼えていたガレンスが、きょとんとした顔になった。

「腕試しとは……何のだ？」

「剣のに決まってる」

「なんだとお？」

大男のガレンスは眼を丸くした。それから自分より頭ふたつ分は小さい少女をまじまじと眺めた。

「馬鹿なことを言うな。おまえのような小娘を相手に剣を向けられると思うのか」

「いや。やってみてくれ」

言ったのは、さっきから見物にまわっていたデルフィニア国王である。

「そしてな。ガレンス。悪いが俺はこの娘の勝利に賭けるぞ」

「陛下！」

これには大変傷ついたような顔になったガレンスである。ついで真っ赤になったのは、よほど悔しく情けなかったのに違いない。

「それは……それはあまりなお言葉です。陛下は、陛下はこのガレンスをそれほどに侮られ、軽んじていらっしゃるのでございますか」

それだけ言うのがやっとの有様だった。

「とんでもないことだ。ナシアスについでラモナ騎士団で勇名を馳せる闘士の名を、どうして俺がそれほど粗末に扱うものか。おまえの武勇も、その忠誠も、かけらなりとも疑うくらいならば、王冠など投げすてたほうがはるかにましというものだ」

最大級の賛辞を贈られ、巨漢の戦士は顔中を歓喜にほころばせ、感動にうち奮えている。

「しかしだ。ガレンス。おまえの武勇も相手が人でないとなればいささか分が悪い。論より証拠だ。明日、剣を交えてみればわかるだろうが、この娘はまさしく勝利の女神の化身ともいうべきものだ。いささか見目かたちがよすぎるところを除けばだがな」

これには少女が首を傾げた。

「なに？　ここの勝利の女神って、あんまり美人じゃないわけ？」

応えて男は、まるで子どものように、こっそりと声を低めて言った。

「それどころか、かなりの醜女でな。しかもたいへんな悋気の持ち主で、夫のバルドウも辟易しているという女神だ」

「うへえ」

少女は首をすくめている。

「変な女神様だねえ。それじゃ、拝む甲斐がないじゃない？」

「うむ。つまりは勝利というものは、バルドウを信じ、全力で戦えば自然と微笑んでくれるはずだと、そういう考え方からのようだな。初めから勝利を当てにしていると、気難し屋の女神ゆえ、そっぽを向いてしまうというのだ」

「ははあ……。いろいろ大変なんだ」

しみじみと言う少女に男は苦笑を禁じ得なかった。

「ナシアス。俺はできるものならこの娘と二人でコーラルへ向かいたい。無論、その必要があれば、ラモナ騎士団の力を借りるに躊躇するものではないのだが、今、軍を率いて接近すれば、ペールゼンは守りを固めて人質の命を盾に取り、我々の動きを止めようとするだろう。それだけは避けねばならん。長引かせれば陣地を持たぬ我々に不利だ」

「ごもっともでございます」

ナシアスは苦笑しつつ、丁重に頭を下げた。

「しかし、国王自ら偵察の役目を買って出られるとは前例がございません。ドラ将軍の耳に入りましたら、何故そのようなことをさせたのだと、わたしが雷を落とされてしまいます」

「それを言うなら妾腹の王も前例がない」

男は笑って、

「俺自身の眼で確かめるのが一番確実だ。おまえたちの出番はその後に取っておく。後はこの娘の腕前だが……」

ナシアスも頷いた。

「確かに陛下のおっしゃる通り、普通の娘とはどこか違っているように思えます。もしこれで、事実ガレンスを相手にできるだけの剣術を身につけているとするならば、驚異的なものです」

「ナシアスさま。馬鹿をおっしゃらんでください。わたしがこんな小娘に後れを取るわけがないでしょうが」

ガレンスは渋い顔だ。

騎士団長は少しばかり皮肉な笑みを浮かべて、

「では、おまえは陛下のお言葉を信用できんというのか？」

「いや、それとこれとは……」

慌てたガレンスだった。

「それとこれとは話が別です」

「まあいい。明日になればわかることだ。ところで、お嬢さん」

「リィだよ。お兄さん」

小さく微笑んだ団長である。

「そう呼ばれるのは妹が嫁いで以来だな」

「……？　妹さんはお嫁に行ったら、お兄さんって呼んでくれなくなったの？」

「いいや。遠方へ嫁いだので、それ以来会えずにいるのだよ。もう三年になるかな？　わたしの妹も相当のおてんばだったが、それでもリィには負ける」

「そりゃあどうも」

「ところでだ。湯殿の支度ができているのだが、どうするね？　先に陛下にお入りいただくが、きみも体を洗いたいなら火を落とさずにおくよ」

「おふろ？」

少女はぎくりとしたようだった。

「いい。いらない。水で洗う」

「それは無理だと思うぞ」

ウォルが言った。

「この辺りには体を洗えるような泉や河はほとんどない。飲料にするのが精一杯だ」

「じゃあなんでここにはお風呂があるのさ」

「陛下が半年ぶりにお戻りくだされたのだぞ。そのくらいのおもてなしができなくてどうする?」

呆れたようにガレンスが言う。

要するに、ここでは風呂はかなりの贅沢であり、滅多に使えるものではないということだ。国王がこの少女に全幅の信頼を寄せているようなので、ナシアスはこんな申し出をしたのだろうが、少女は複雑怪奇な顔をしている。

「その……好意を無駄にするのは悪いと思うんだけど……どうもあの、お湯で体を洗うのって、すごく苦手で……遠慮したいんだけど……」

「リィ?」

こんなにしどろもどろになっている少女を初めて見たので、男は思わず眼を丸くしていた。

ナシアスのほうも困惑顔である。

「だがね。リィ。きみはずいぶん汚れているようだし、洗ってさっぱりするのも悪くないと思うのだが。それとも風呂を使ったことがないのかな？」

身分の低いものならよくあることだが、それとも違うらしい。少女は何とも恨めしそうな顔つきだった。

「そうじゃないんだけど……気持ち悪いんだよ。あれ。それに、どうせまた旅をして汚れるんだし、わざわざ洗ったって意味ないよ」

「いや。そうでもないぞ」

男が悪戯っぽく笑って進み出た。

「確かに我々の風体はひどいものだ。ここで少しばかり身ぎれいにしていくのも悪くはなかろう。浮浪者と間違われるようでは困るからな」

さっさと決めてしまうと、湯殿へ案内してくれるよう言いつけた。

それからいやがっている少女の首根っこを捕まえるようにして促した。

「ほれ。往生際が悪いぞ。戦士が風呂を嫌がってどうする？」

「戦士がいちいち身なりに気を使ってどうするんだよ」

少女が言い返したが、男は引かなかった。

「いいから来い。なんなら俺が洗ってやる。故郷ではよく馬や犬を洗ってやったものだ」

「人を馬扱いするなってのに」

そんなことをぶつぶつ言いながらも少女は仕方なく男に従い、案内役の騎士たちと共に部屋を出ていった。

主君の姿が見えなくなると、ラモナ騎士団長は小さく吹き出し、副団長は苦々しい顔でそんな上司をたしなめた。

「ナシアスさま。笑っておられる場合ではありませんぞ。まがりなりにもこのビルグナで陛下に対し、あのような態度に出るとは許せません。あの娘には少し礼儀というものを教えねばなりません」

「その陛下が構わぬというのだ。おまえもそう渋い顔をせずに、少しは見る眼を変えてみたらどうだ？」

「見る眼も何も、腹立たしいと思うばかりです」

「そこだ。頭から敵意を持って見たのでは、悪い印象しか持てないのは当たり前だぞ」

ナシアスはなかなかくだけた人柄のようで、感慨深げに顎を撫でている。

「気づかなかったか、ガレンス。あの娘は一度もコーラル奪回は不可能だとは言わなかった。我々でさえ、かなうかどうかこの半年、散々に議論を重ねたことだというのにだ」

しかし、ガレンスはあいかわらず渋い顔だ。

「子どもの考えなど、その程度のものです。どのくらいの難事かも知らんので、そんな気軽なことが言えるんです」

「それにしてはコーラル城の造りをずいぶん丹念に聞きとっていたとは思わないか？あれだけ聞けば蠅の頭ほどの知恵しかないものでも、忍び込むのは到底不可能な難攻不落の城だということくらい、わかるはずだぞ」

「ナシアスさま。まさかナシアスさままで陛下の真似をして、あんな小娘を頼りに戦を始めようとおっしゃるんですか？」

ガレンスは若い男ではない。四十にはなっているだろう。その分頭が固いのか、あるいは自分の剣という確かなものを頼りに世を渡ってきた者の習性なのか、あまりあの少女に値打ちを見出せないでいるようだった。

「わたしはただ、不思議に思っているだけだ。陛下は我々ラモナ騎士団を捨ててでも、あの少女を取ると言われた。王位簒奪者どもを首都から追放し、再び王冠を戴くと決意されている方が、二千の兵士よりも一人の少女をだ」

その兵士たちを団長共々統括する立場にある大男は顔をしかめた。それがガレンスにはおもしろくないのだ。

「失礼ですが、陛下でなければ……」

「気でも違われたのかと思っただろうな。このわたしも」

ナシアスはさらりと言って、

「しかし、陛下は本気で、あの少女を同盟者として頼むつもりでいらっしゃるらしい。陛下にそこまで言わせるものがあの少女にあるなら、それが何なのか、わたしも知りたいのだ。我々はあくまでデルフィニア国王の臣下なのだからな。陛下の信じておられるものを信じられぬようでは困る」

「ナシアスさま……」

ガレンスはまだ呆れたような顔をしていたが、やがて軽く肩をすくめた。

「ご命令とあらば止むを得ませんが、本気でわたしにあの小娘と戦えと言われるんですか？」

「陛下のご意志だぞ。わたしもどうなるか確かめてみたい気もするからな」

ナシアスは真顔になって、

「ガレンス。とにもかくにも陛下はご無事でお戻りくだされた。あの内乱の夜、ただ一人パキラを越えて以来、杳として消息の知れなかった方がだ」

「はい。よくぞご無事で……」

ガレンスの声には感慨無量の響きがある。

ナシアスもそれは同じだった。

薄い水色の瞳に、深い感動と、何とも言えない苦渋の色が浮かんでいる。

「わたしはこの半年、デルフィニア最後の国王が狼に食われて倒れる悪夢を幾度見たかわからない。陛下をお助けすることも叶わず、おめおめとコーラルを奪い取られ、あげくバルロを始めとするデルフィニアの忠臣とあるべき人々を救うこともかなわず、唯々諾々とペールゼンの主張に従う屈辱を強いられ……。いや、わたしのことなぞより今現在あのバルロが、硬骨漢のフェルナン伯爵、ドラ将軍らが、どのような屈辱を受けながら過ごしていることか、思うだけで体が煮える」

「ごもっともです。わたしとてそれさえなければ、いえ、せめて陛下がご無事であればと幾度思ったかしれません」

「そうとも。陛下はお戻りくだされた。しかも勝利の女神を連れてな」

「ナシアスさま！」

忠実な部下の抗議を、ナシアスは軽く首を振り、穏やかに微笑むことでかわした。

「わたしも信じたいのだ。真実の王に王冠をかぶせるべきだと言いきった、しかも少しも物怖じせずに、本気でコーラルを奪い返そうと考えている、あの少女をな。もしそれが本当にかなうのなら……、もしもそれがあの少女にできるというのなら」

ナシアスはそこで言葉を切った。

実現はほとんど不可能ではないかと諦めていたことだった。

年下の僚友は元気でやっているかのような手紙をくれるが、王宮の内情には一言も触れていない文面を見るにつけ、改革派の眼がこんなところにまで届いているのかと、怒りと焦りを同時に覚える。密かに誘いをかけてみても、各地の領主たちは一万の近衛兵団に確実に勝てるという保証がない限り、乗り気にはなってくれない。王族でもない、一騎士団長の提言ではなおのことだ。

もう無理なのかと、このまま従うしかないのかと絶望しかけていたところに彼らは現れた。

しかも至って明るく当たり前のように、コーラルを目指すという。

「わたしは、信じたいと思っている」

もう一度、ラモナ騎士団長は言った。

そのころ、砦の湯殿では二人が文字通り汗だくになっていた。

ここの湯殿は蒸し風呂になっている。熱湯をぐらぐらに沸かし、その蒸気が送られてくる木の小屋に閉じこもり、汗と共に体の汚れを洗い流すというものだ。

少女は見るなり逃げ出そうとしたのだが、ここでも男に促されて不承不承ながらも小屋に入っていった。

湯殿は二重構造からなり、汗を流すための小屋と、水を浴びて体を洗い流すための洗い場に別れている。小屋の下には大瓶が据えられて、次々に煮え立った湯が足される仕組みになっている。

それだけの支度をするのに、井戸から水を運ぶ係、火を焚く係、合わせて四人がかりなのだから、確かに大変な贅沢だった。

「どうだ。汚れがきれいに流れ落ちるだろう」

洗い場にいた男が小屋の中に声をかけても返事がない。

小屋は二人一緒に入っても充分な広さがあるのだが、もうもうと蒸気がたちこめ、相当の熱さになる。そこで少女がここまで持ち込んできていた剣をどうしようかということになった。

とても持っては入れない。かといって、少女はその物騒な道具を、手の届かないところへ置くつもりはさらさらないらしい。

「ここは安全だし、何も剣を持って風呂に入ることもなかろうが」

と、男は言ったのだが、少女はそんな男にむしろ呆れたような眼を向けた。

「それが自由戦士の言うことか」

というのである。

「きみはもう王様業に戻って、自分で自分の命を守る必要もなくなったのかもしれないけど、ぼくはそうはいかない。どこだろうと、いざという時にはすぐさま剣を引き抜ける状態にしておく必要があるんだ。その剣がぼくの命綱なのに、見ず知らずの相手に預けて、のんきに風呂なんかに入っていられるか」

というのである。

男も反論はしなかった。苦笑して、自分も一度は置いた剣を取り上げた。

「なんだ。持って入るの？」

「おまえの言う通り、俺も今でも自由戦士だからな。コーラルを取り戻すまでは自分の体は自分で守る必要がある」

そこで交代に汗を流すことにし、男は今、少女の剣を預かって洗い場にいるというわけだ。

「だめだ。蒸し焼きになりそう」

げっそりした顔の少女が現れ、男と交代した。

ナシアスは二人に別々に入浴してもらうつもりでいたらしいが、その分時間もかかる。必要な湯水の量も倍になる。

「不経済だよね」

「もっともだ」

ということで意見が一致したらしい。

二人してきれいに衣服を脱ぎ捨ててしまい、平気な顔で湯殿に籠ったのだが、これにはせっせと湯を運んでくる小者たちも眼を丸くしていた。

「まさか、きみの故郷では、馬や犬をこんなお風呂にいれたんじゃないだろうね」

少女が垢すりで体をこすりながら小屋の中の男に声をかけると、太い笑い声が湯殿に響いた。

「それではいくらなんでも動物に気の毒だ。ちゃんと水で洗ってやったさ」

「ぼくもそれでいいっていうのに」

洗い場も蒸気が流れてきて相当に暑い。

小屋の中から籠った声で男が言ってきた。

「この風呂は体にもいいのだぞ。古い血が洗い流され、新しい血が通い始める。俺の故郷では病みあがりの体に活を入れるのに使ったものだ」

「冗談じゃないよ。かえって病気がひどくなるぞ」

少女にはそんなありがたみはわからないらしい。早々と体を磨き、水をかぶって、男の剣と自分の剣の二本を抱えて湯殿を飛び出したが、少女と同い年くらいの少年が慌てて、麻で作られた肌着を差し出してきた。

「あ、あの……。もし。お召し替えを……」

「いらないってば。もう熱くて熱くて……」

「ですけど、あの、そのお姿で歩きまわられては、その……」

少年は赤い顔をして、しどろもどろに言う。

「どうかした？」

首を傾げた少女である。洗い場に出てきた男が苦笑をこらえつつ、言ってきた。

「リィ。その子を困らせるな。この騎士団領は男ばかりだ。隠すところは隠してやれ」

「あ。そうか」

全裸のままで飛び出した少女は、思い出したように頷いて、衣服を受けとった。

「女の子は色々面倒だな。だけどウォルは平気な顔してるのに。変じゃないか」

「俺にはおまえが女に見えないだけのことだ」

「いい趣味してるよ。どうせならみんな、そう見てくれればいいんだ」

ぼやきながら、ぐっしょり濡れた髪を絞り、頭から胴着をかぶった。流れる金髪と湯あがりの肌に、騎士見習の少年はさっきから真っ赤になっている。

「あの、それでは、陛下の着替えはこちらに置いて参りますので、他に何か御用がありましたら、お呼びください」

そそくさと引き上げていった。

少女のほうは肌着に剣を差した姿のまま戸外に立ち、夜風に当たっていた。

夜も遅い時間とあって砦の中は静かである。

塔の上に見張りが立っているのが見えたが、大部分は寝静まっているようだ。

「生き返ったな」

少女と同じように、洗いたての体に肌着をまとった男が出てきて声をかけた。

「変なものが好きなんだなあ」

呆れたように言って、片手に持っていた男の剣を渡してやる。

「城の湯殿はもっとすごいぞ。なにしろ泳げるほどの浴槽だからな」

「それ。中身は全部、お湯なわけ？」

「当たり前だ」

おぞましげに身震いした少女である。

「お城へ行っても絶対にそのお風呂だけは遠慮するからな」

「そうだな。城には池もある。パキラの山には泉も小川もある。浴槽に入らんでも、いくらでも体を洗うことができるだろうさ」

男は剣を片手に夜空を見上げていた。

東の空だ。

少女も真顔で男を見上げている。

「お父さんの他にも、捕まっている人が大勢いるんだね」

「ああ。ドラ。アヌア。ヘンドリック。皆、真にデルフィニアを憂えている、優秀な人材だ。俺が現れる前からペールゼンのやり方を苦く思っていたものたちだ」

「前から?」

「そうだ。王子王女が亡くなられてからはペールゼンは王宮の主のように振る舞っていたらしいからな。ヘンドリックなぞは、ペールゼン侯爵はデルフィニアの支配者になりたいらしいと、皮肉たっぷりに言っていたらしい。そこへ俺が現れたのだから、彼らが俺に味方をし、ペールゼンに対抗する姿勢を固めたのも当然だろうよ」

緑の瞳がくるりと動いた。

「そうすると、なに？　その人たちは単にペールゼンが勢力を増していくのがおもしろくなくて、きみについたわけ？」

「かもしれん。だがな、それなら彼らは、俺の旗色が悪くなると同時に俺を見捨てることもできたはずだ。ペールゼンは偽王からのデルフィニアの解放を唱えて兵を起こしたのだし、自分に与するものはすべて許して配下におく方針を採ったのだからな。ところが彼らは今もってペールゼンに拘留されている」

男は少女を見下ろして、

「これが何を意味するか、考えてみるまでもないはずだ。違うか？」

「確かに」

少女も頷き、男を見上げて笑ったものだ。

「きみは何も持っていない王様だけど、本当の味方だけは、ずいぶんたくさん持っているらしいな」

「何よりのことだ。俺も、意外だった」

平静に言ったようでも男の瞳には感動の色がある。

まだ遠い目的地には自分を待っていてくれる人たちがいるのだ。

それがはっきりとわかっただけでも、命懸けでも帰る意義がある。

「さあ、もう休むか。明日にはコーラルへ出立しなければならん」

「その前にガレンスと一騎打ちだ」

彼らの寝床は小者たちが整えてくれたらしい。

隣りあわせの別々の部屋に彼らは籠り、それぞれ明日のことに思いを馳せた。

8

大華三国の一、中央の真珠と呼ばれるデルフィニアの首都コーラルは、流通都市としても文化都市としても、大陸でも並ぶもののない都である。

パラストのアヴィヨンは文化程度では引けを取らないが、交易を行うにはいささか辺鄙な位置にあるし、タンガのケイファードに至ってはロシェの街道の終点、中央の外れにあたるのだから、到底コーラルに肩を並べられるものではない。

トレニア湾を抱くシッサスの港町は、航海の季節ならば常に外国籍の船であふれ、各地の珍しい品物や産物がさかんに取り引きされている。

街路はきちんと舗装され、上下水の設備も行き届き、市民は公共の水くみ場でいつでも好きなだけ生活用水をくむことができる。身分の高い貴族の屋敷には配管が施され、家にいながら飲み水にも不自由せず、ふんだんに湯を使った浴室でくつろぐこともできる。

王宮内は特に素晴らしかった。長い年月の間に、暮しやすく快適にと改良を重ねた結果、今では王宮だけでひとつの都市のようになっている。

一見優雅に、白い姿を山腹に這わせているように見えるコーラル城だが、実際にはラモナ騎士団が懸念したように、半年や一年は楽々と籠城してみせる城塞だった。

太陽が沈んでも、各所に設けられた篝火が明々とその姿を照らし出し、コーラルすべてを睥睨《へいげい》するのである。

今、とっぷりと陽の暮れた城の最上部分、本宮の最深部において、少しばかり時間はずれの会議が開かれていた。

「まさか。あの男が無事に戻って来るとは。少々まずいことになりましたな」

でっぷり太った顔を気難しげに歪めて言ったのはジェナー祭司長。ペールゼン侯爵と並ぶ、改革派の中心人物である。

「ウィンザへ招き入れていながら取り逃がすとは、ダール卿も口ほどにもない」

軽蔑の響きを隠そうともせずに言い放ったのは近衛兵団を配下に収めているサング司令官。赤ら顔の屈強な大男だ。

「さて。これからどうしたものでしょうね」

ものやわらかな声が割り込んだ。男の声だが、妙に優しげな猫なで声である。タミユー男爵の子息、チフォン。まだ二十代半ばの若者だった。

男爵の家柄は成りあがり同然のものだが、タミュー男爵は今は国内の貴族を統括する立場にある。チフォンはその跡取りとして、この重要会議にも出席しているのだ。

この席には他にも数人の人間がいた。デルフィニアを偽王から解放するのだと声を上げて、民衆を煽動し、王宮を占拠した主謀者たちである。

それだけに皆『あの男』の帰還に緊張を隠せない。

「かくなる上は、バルロさまの戴冠を急がれたほうがよいのではないですかな。そうすればあの男が戻って参ったところで、なんの権利も主張できなくなりますからな」

と、ジェナー祭司長。

賛成する声があちこちであがったが、一人だけ、やんわりと異を唱えた人がいる。

「いや。今、焦って戴冠をほのめかすようなことをすれば、却って民心をそこなうだけのことです」

他の人間の顔が一斉にその人を見た。

「ですが、侯爵」

ジェナー祭司長が不満げな顔になる。

改革派の筆頭に立つはずのペールゼン侯爵が、何故、この提案に反対なのかと言いたいらしい。

ペールゼン侯爵は五十がらみに見えた。白くなりかかった髪をきれいに刈りこみ、形のいい口ひげを蓄えている。若いころから文武両道を信条とする人だけあって、背筋の通った大柄な体軀は今も衰えを見せてはいない。

すぐれた知恵者であるのはもちろんのこと、人柄も温厚で交際上手でもある。実際、主義主張の違う改革派を統制しているのはこの人の力なのだ。

その侯爵は穏やかに笑って言った。

「バルロさまのほうはどうとでもなります。まずは、あの男の行方を突き止めることですが……ウィンザから逃亡したとなると自然、知れておりますな」

「というと?」

サング司令官が真顔で聞き返した。

半ば馬鹿にしたような笑みを向けたのはチフォンである。

「おやおや。困りましたね。司令官どのには、そのくらいのこともおわかりになりませんか?」

むっつりと司令官は口をつぐんだ。

会議の参加者の中でもっとも若いチフォンを見る眼には、どこか憎々しげな光さえある。そんな大男がおかしいのか、あるいはこちらも苦々しく思っているのか、チフォンはことさら、からかうような調子で言った。

「あの男は今でも自分は国王であると思い込んでいるわけですから、当然コーラルを奪りもどそうと目論んで戻って来たのでしょうよ。となるとまずは兵隊を集めようとするはずです。身ひとつのままでこのコーラルをどうにかできるわけもないし、ましてウィンザに手ひどく裏切られたとなると、向かう道筋なぞは決まっておりますね。もしもあの男が南へくだったのでないというのなら、それこそ侯爵には意外のことでしょう」

さすがに司令官にもわかったようである。チフォンはさらに楽しげに言葉を続けた。

「あの男に同情的である上に、柔和に見えながら、おなかの中では何を考えているかわからないラモナ騎士団長のことです。もしかすると、あの男の口車にうかうかと乗せられて、妙な気を起こすかもしれませんよ」

「ならば話は早い。我々近衛兵団が直接ビルグナへ向かって、あの男を引っ捕えてくれよう」

意気揚々といった司令官だが、残りの者たちはこの提案に首をひねったのみだった。

チフォンなどは、あからさまに侮蔑の眼差しを向けている。武人というやつはこれだからとでも言いたげだった。

「お願いですから司令官どの。少しは頭を使ってくださいませんか。あなたがものものしく兵隊を引き連れていくまで、あの男がビルグナにじっとしているとでも思っていらっしゃるんですか？」

「それならそれでラモナ騎士団を黙らせてくればいいだけのことではないか！」

吼えるように言うと、今度はジェナー祭司長が口を挟んだ。

「あの男をかくまったなどと、ビルグナは認めはすまい。認めれば我が身の破滅じゃ。ナシアスはその程度のこともわからぬような男ではないわ」

すっかり仲間はずれのサング司令官は、苛だったように机を叩いた。

「各々がたは先程から何を言われるのか！　では、あの男がぬけぬけとデルフィニアへ舞い戻り、しかもラモナ騎士団を率いてこのコーラル目指してやって来るのがわかっていながら、何もせずに手をこまねき、大人しく入城させてやれとでもおっしゃるつもりか！」

「まあ、まあ、サング司令官。我々は何もそのようなことは言っておりません。手を講じる必要があるのは間違いないのです」

ペールゼン侯爵がとりなした。

「問題はですな。その方法です。よいですかな？　ラモナ騎士団はティレドン騎士団と並び、デルフィニアの誇りともいうべきものです。同じくデルフィニアを代表する立場にある近衛兵団。どちらも勇猛果敢の名を他国にまで轟かせている精鋭であることは言うまでもありません。その両者が無益に諍《いさか》うのは好ましい事態とは言えないと、我らは申し上げたいのですよ。ましてビルグナは今現在、我々に賛同の意を表明しているのですから、なおのことです」

これには疑わしげな声があちこちであがった。

みせかけだけの服従であるのはわかりきっているのだ。どこまで信用していいものやら。そう言いたいらしい。

侯爵はそんな声を片手で制して、

「要は体面の問題です。近衛兵団が何の理由もなしに味方のはずのビルグナに襲いかかった。そんな醜聞にまみれるのはいただけません。征伐するにも、戦いを挑むにも、それなりの名分というものが必要になります。それに、先程チフォンどのが言われたように、あの男がいつまでもビルグナにじっとしているとも思えません」

「では裸一貫でここまでやって来ると？」

「さて……。それはわかりません。わたしはもう少し、あの男の出方を待ちたいと思うのですが」

しかし、侯爵のこの意見は聞きいれられないようだった。この場には財務や内政を預かる主要人物が集結していたが、皆一様に焦燥と不安を覚えている。サング司令官はもちろん、ジェナー祭司長、それにチフォンもそこまで安穏と構えてはいられないらしい。

それというのも民心の変化は明白なのだ。面と向かって言いはしないが、コーラルの人々は彼らに愛想をつかし、国王の帰りを切望している。

チフォンが皮肉っぽく祭司長を見やった。

「まったく民衆というものは厄介なものです。一度は我々を解放者と呼び、感謝することしきりであったのに、今またあの男を欲しいという。無節操にもほどがありますよ。神のお力で天罰でも与えていただけませんかね」

「あいにくだが、チフォンどの。愚かな魂には百万の祈りよりも一枚の金貨が優先するのだ。いかにわたしが正義を説き、真実の主導者に従う幸福を説こうとも、生活は悪くなるばかりだと彼らは言い返す。品物を納めても代価を払ってもらえず、給料は何か月も滞納、近頃ではありもしない借金のかたに妻や娘を妾に取られたと泣きついてくる者までおる。いったい誰のせいで民衆がここまで困窮しているのか、わたしのほうが知りたいくらいだ」

年若い男爵家の総領は首をすくめてみせた。

中央の真珠、繁栄の都コーラルの雰囲気が日に日に悪くなっているのは確かなのだ。『あの男』の統治時代、民衆に対して権力を振りかざすことを許されなかった貴族たちが、今、我が世の春とばかり、市民に対して横暴をつくしているのであり、それはすなわち、貴族階級を管理統制しなければならないはずのタミュー男爵の手落ちというわけだ。

「しかしですね。わたしたちは少なくとも市民に対して暴力などは揮いませんよ。比べて、どなたかの恨まれようは相当なもののようですけど?」

ちらりと見やった先にはサング司令官がいる。

もっともこの皮肉には司令官も盛大に応酬してみせた。

「今まで暴動のひとつも起きないでいるのは、誰が市民を管理し、改革派に対する不満の声を封じこめているからなのか、チフォンどのは知らんというのか」

「とんでもない。無論、あなたがた近衛兵団のご功績です。司令官どの」

しかし、力でもって言論統制をしたところで、もともとが自由な気風のコーラルだ。表面上はじっと我慢をして改革派に従っているように見えても、底辺ではどのくらい不満の炎がくすぶっていることか。見えないだけに恐ろしく、深刻であるともいえるのである。

チフォンが何か考えながら、ペールゼン侯爵に話しかけた。

「侯爵。あの男の動きを封じるためにひとつ提案があるのですが」

「お伺いしましょう」

「あの男の腹心ともいうべき人物を誰かビルグナへ向かわせてみてはどうでしょう？　さすがにフェルナン伯爵では難しいでしょうから――そうですね。ドラ将軍辺りを、あの男を征伐してくるように命じて送り出すのです」

「何を馬鹿な！」

これにはサング司令官以外の者からも、一斉に怒声があがった。

「孤立無援の獅子のもとへ、わざわざ援軍を届けてやろうと言われるか！」

ここぞとばかりに司令官がやり返しても、チフォンは涼しい顔である。

「そうですよ。ドラ将軍があの男に傾倒していることは誰もが知っています。ビルグナも、あの男も、そして我々も」

「わかっていて何故！」

「いやですね。聡明な司令官どのならそのくらいのこと、おわかりになりますでしょうに」

先程もう少し頭を使えと言っておきながら、これだ。顔面を紅潮させてサング司令官は黙り込んだ。代わって話しかけたのは侯爵である。

「なかなかおもしろいお考えですな。チフォンどの」

「ありがとうございます」

「しかし、どうやってドラ将軍を向かわせますかな。蟄居を解き、あの男を征伐してくるようにと命じたところで、大人しく出向くような将軍ではないでしょう」

「そうでしょうか？　半年もの間閉じこめられっぱなしだったのですから、とりあえず自由の身となり、あの男の傍まで出向けるというだけで、却って喜んで出陣してくれるのではないでしょうか。それでも不安ならば、将軍の一人娘を人質に押さえるとか。いくらでも手はあります」

「ふむ……」

ジェナー祭司長がいらだたしげに尋ねた。

「お二人ともいったい何を話しておられる？」

「つまりこういうことですよ。祭司長。ドラ将軍が最後まであの男の味方をし、そのために蟄居を言いつかったことは誰もが知っています。もうおそらくあの男の耳にも入ったでしょうね。なのに家臣を引き連れて自分の味方に駆けつけてくる。これはおかしなことですよ。おそらくあの男は喜ぶより先に、どうやってこの厳重なコーラル城から逃げ出してきたのかと、疑念を抱くでしょう。当然、思いあたるのは、味方に駆けつけるふりをして自分を捕えに来たのではないかということです」

あの男は今、敵味方を厳しく見分けなければならない状況に置かれている。

現に一度は味方として迎え入れてくれたウィンザに裏切られたのだ。

次は当然疑ってかかるだろうとチフォンは言うのだろうが、ジェナー祭司長が不満げに反論した。

「しかし、たとえ人質を捕って脅したところで、相手はあのドラ将軍ですぞ。いざとなれば娘の命などくれてやるくらいのことは言いかねん」

あっさりと頷いたチフォンである。

「おそらくそうでしょう。将軍は間違いなく、そのくらいの覚悟であの男のもとへ出向くでしょう。かわいい一人娘を見殺しにしてでもね。ですから祭司長。それで構わないのですよ。問題はあの男がどう思うかです」

「と、おっしゃるのは?」

「つまりですね。ここに捕えられているはずのドラ将軍が意気揚々と自分の味方をしに来たら、いくらあの男でもおかしいと思うでしょうが」

チフォンは、げっそりと顔をしかめている。

物わかりの悪い相手に話を飲みこませるのは、くたびれるとでも言いたげだった。

「どさくさに紛れて逃げ出したあの男とは事情が違います。二重三重に監視されているわけですから、自力での脱出など到底不可能だということくらい、わかるはずです。なのに自由の身となって駆けつけて来たとなれば、これにはなにか裏があるのだと、あの男は疑うでしょう。疑って当然ですよ。さあ、そこで固い主従関係にひびが入るというわけです。あの男は将軍を疑惑の眼で見ることになるでしょうし、将軍は将軍で自分をそのような男と思っていたのかと、あの男に対する忠義を悔やむでしょう。後はどんなことになるか。それは試してみてからのお楽しみ」

司令官も祭司長も深く考え込んだ。

つまりは仲違いをさせようとチフォンは言いたいらしい。固い絆で結ばれているあの男とドラ将軍の間を裂き、あの男をますますの孤立無援に追いやろうというのだ。

「しかし、そううまくいくかどうか。将軍が娘を人質に捕られての出陣でありますと、あの男に打ち明けてしまえばそれまでではないか」

「言えますすかね？」

意地の悪い微笑だった。

「武人の鑑のようなドラ将軍が、そんな身内の恥を主君におめおめと打ち明けることができるでしょうかね?」

もっともな話である。

将軍は、自分が何も言わずとも陛下は信じてくださるだろう、娘を見殺しにしてでもと思い極めた覚悟を汲んでくれるだろうと期待する。男のほうは逆に何も言わない将軍を訝しむ。何か後ろ暗いところがあるのだろうと疑惑を持つ。

ごく自然な流れのように思われた。

「ふうむ。どう思われます? 侯爵」

ペールゼン侯爵はしばらく考えていたが、慎重に言葉をつくった。

「悪くはありません。ですが……賛成はいたしかねますな」

チフォンが傷ついたような顔になる。

「侯爵にはわたしの提案はお気に召しませんか」

「いいえ。妙案です。さすがは才知の名高いチフォンどのだと感服いたしました」

さりげなくおだてることも忘れない。

金髪の少女はこの人のことを馬鹿ではあるまいと評したが、実際、この人がいなければ改革派はとっくの昔に分解していたに違いない。

「しかし、あなたのその提案は、失礼ですが、並の人間を相手にした場合を想定したものです。あの男にははたして通用するかどうか」

「侯爵。あなたがそんなことをおっしゃってどうする?」

呆れたようにサング司令官が言った。

「あの男は国王の名を騙った不届き者、いや、大罪人だ。その男を持ち上げるようなことを、今や宰相たるあなたが軽々しく口にするべきではありませんぞ」

この非難にペールゼン侯爵は薄く笑みを浮かべて司令官を見やった。

「サング司令官。間違えられては困りますな。わたしは宰相などという恐れ多い地位には不釣りあいな人間です」

しかし、現在、この人がその名に等しい位置にいることは誰もが知っている。

肩書きは侯爵のままだが、今のデルフィニアは軍務はもちろん、内政、財務、司法に至るまで、この人の決裁なしには機能できないようになっているのである。

にも関わらず侯爵が宰相の名を拒むのは、自分一人に権力が集中していると思われないようにという配慮からだ。

政府を動かしているのはあくまで『改革派』であり、特定の個人ではないと世間に思わせておきたいのだろうが、現実にはペールゼン侯爵を中心としての内閣ができているようなものなのだ。

その侯爵は、あの男を並々ならぬ人物と考えているらしい。

「なるほどあの男は王家の名を騙りました。しかしたとえ偽王としてでも、一度はデルフィニア国王と呼ばれた男です。さらに申しあげるなら我々の包囲網をくぐり抜け、ただ一人でパキラを越え、あげく戻って来たのです。このような真似が並の男にかなうとお思いですか？」

チフォンが熱っぽく身を乗り出した。

「ですからなおのこと。あの男に負けないだけの力量を持ったものを征伐に向かわせるべきではありませんか。まったく田舎者というものは他にすることがないのでしょうね。武術の腕前だけは誰もが認めたくらいですから。確かサング司令官も……いえ、当時は一大隊長でいらっしゃいましたか、まるで歯が立たなかったと記憶しておりますが」

「言葉を返すようだが、あの男は当時は『国王』だったのだぞ。チフォンどの。本気で刃を向けるなど、とてもとても……。忠誠を誓った臣下のすることではないわ」

「ごもっともです。結局あの男と五分に近い勝負をしたのは、ティレドン、ラモナ両騎士団長。槍のヘンドリック伯。そして闘将ドラ将軍。確かにいずれも一癖も二癖もある、国王を国王とも思わない方々だったわけですから。それなのにその人たちが今そろってあの男の味方につくとおっしゃる。やれやれです」

チフォンは肩をすくめているが、自分の提案にこだわっているようである。そしてジェナー祭司長も、サング司令官も、チフォンの提案を真剣に考え始めていた。

「侯爵。わたしはチフォンどのの意見を組み入れてもよいのではないかと思うが、どうでしょうかな」

ジェナー祭司長が言えばサング司令官も、

「ドラ将軍が扱いにくい難物であることは周知の事実。主君と仰いでいるあの男の手にかかって果ててくれれば、我々としても手間が省ける。なにしろ我が近衛兵団の中にも、将軍を慕うものが多数いるのだからな。あるいは万にひとつ、ドラ将軍があの男を成敗してくれれば万々歳ではないか」

そんなことを言い出した。

他の面々も口々に、やらせてみてはどうかと言い出している。

「ドラ将軍でも意外と娘ごの命はかわいいものかもしれませんし……」

「いかにも。征伐は無理としても、せめて捕えることができれば。将軍も娘ごの命と引き替えならば、そのくらいのことは引き受けてくれるのではないでしょうか」

「そうですとも。それに、仮に将軍が娘ごを見捨ててあの男と和解し、共にコーラル目がけて進軍してくるとなれば、その時こそ近衛兵団の力をもって反逆者を征伐すればよろしいのでは？」

この提案にサング司令官は物騒な笑みを浮かべたものだ。

願ったりかなったりというところだろう。

チフォンも頷いて熱心に侯爵をかき口説いた。

「いかがでしょうか、侯爵。そうなれば我々は、あの男もろともドラ将軍をも葬りさる格好の口実を手にすることができます。将軍たちが武力を以て、流血の惨事も厭わず、強引にコーラルを攻め落とそうと謀った。したがって我々は王都を戦場にさせないために近衛兵団を向かわせ、これを鎮圧したのだとすれば、うまく向こうを悪者にできます」

「これ。チフォンどの」

ジェナー祭司長がたしなめた。

「言葉を慎んでいただこう。悪いのは初めからあの男、そしてあの男に味方し、あくまで我々に従うことを拒むドラ将軍一派なのだからな。まったく、ティレドン、ラモナ騎士団長はともかく、アヌア侯爵、ヘンドリック伯爵までがあの男を支持するとは。正気の沙汰とは思えんわ」

「それならば一番正気の沙汰でないのはコーラルの人々でしょうよ。自分たちで追い払っておきながら、今またあの男がいいという。どうせすぐにまた飽きるのがわかっているのに」

ペールゼン侯爵がやんわりと口を挟んだ。

「こんなはずではなかったと過去を懐かしむのは民衆の得意技です。彼らは何をどうしようとも、必ずそう口にするものです。いちいち気にしていては始まりませぬよ。チフォンどの」

「わかっていますよ。侯爵。ああいうものは生かさず殺さず、反抗させずに働かせればそれでよいのでしょう？」

「そうです。殺しては元も子も無い。かといって、よけいなことを考えるほど自由にさせておくのも考えものです。彼らがあの男に密かに期待しているというのなら、やはりその芽は摘んでおくべきでしょうな」

暗にではあるが侯爵の同意を得て、チフォンはすっかり気をよくしたようである。

「さて。ではドラ将軍に気の進まない任務を申しつける役目は司令官どのにお願いしますよ。目指すはビルグナ。内容はあの男を生かしたまま捕えて来ること、とね」

「任せていただこう」

会議はそこでお開きとなった。

一人だけ浮かぬ顔をしていたのは他ならぬペールゼン侯爵なのだが、他一同が全員、この案に賛成しているとなれば、異議を唱えるのもまずいと思ったのかもしれない。

早速命令書が作成され、翌日の夜には、即刻ビルグナへ赴き、ウォル・グリークを捕えて来るようにという政府命令がドラ将軍に出されたのである。


「諸君らは頭がどうかしているらしいな」

自宅内の居間において、ドラ将軍はきっぱりと言い放った。

その武勇を尊称する意味で、誰もがこの人を『将軍』と呼ぶが、実際の身分は二の郭内に立派な屋敷を構えた、名門として知られる伯爵である。

本人はまだ四十を過ぎたばかり、中肉中背の体軀は全身見事なまでに鍛えた筋肉の鎧に覆われている。表情は厳しく引き締まり、小さな眼光は鋭く輝き、いかにも豪傑ぶりの容貌だが、歳のわりには頭髪が薄く、額はてかりと禿げあがっている。代わりに豊かな髭を蓄え、黙っているとどこが口だかわからない。

先程から黙って話を聞いていた将軍がようやく漏らしたのが、先の一言だ。話をしていたタミュー男爵は、困ったように首を傾げてみせた。

「予想通りにおっしゃいますな。ドラ将軍」

息子と同じく女性が話しているかのような、ものやわらかな口調である。さも困り果てたような表情を浮かべているのだが、眼は違う。

侮蔑の笑いが見え隠れしている。

もとは財政にかかわる小役人であった彼は、なかなか目端の利く人物だった。高利貸しを始めて富を築き、爵位を手にいれ、成りあがりと罵られながらも財力を武器に貴族階級に食いこみ、現在では改革派の頭領ペールゼン侯爵からも大きな信頼を得ている。革命の成功はこの人の財力によるところも大きい。

つまりは改革派の中でも実力者ということだ。

「わかっているなら話は早い。お引き取り願おう」

「まあ、まあ、将軍。頭からそう決めつけたものでもない」

男爵は息子のチフォンに比べれば忍耐強く、少なくとも形だけは物事を穏便に進める術を身につけていた。強要であるにしても、やんわりと話を持っていくので反感を持たれにくいのである。

しかし、横からサング司令官が口を出した。

こちらは、まだるいのは大の苦手である。用件をずばりと口にした。

「我々は何もあの男の命を奪えと言っているのではない。正式な裁判にかけたいが故、捕えて来てもらいたいとお願いしているのだ。それができるものがあるとするなら、ドラ将軍。デルフィニア全土を探してもあなたの他に人はない」

将軍の小さな眼が、じろりと相手を睨みつけた。

「サングどのは眼を開けたまま寝ぼけておられるようだな。こんなところで夜更かしをする暇があるなら、早く帰って休まれたらどうだ。寝言は寝てから言うものと相場が決まっておる」

取りつく島もない。

この半年、剣を取りあげられ、馬から引き離され、自宅に幽閉されて家臣たちとも自由には話せない屈辱的な境遇にあっても、将軍の闘志は健在だった。

前夜の会議の際、いみじくもジェナー祭司長が言ったように、いまだに主君と仰いでいるあの男に剣を向けることなど、ちらとも考えていないのである。

予想通りの展開にタミュー男爵はますます狡そうな笑みを顔に張りつけた。そんな男爵を、司令官は、面倒な手続きは抜きにしてさっさと用件に入ればよいにと、渋い顔で眺めている。

「困りましたな。将軍。これは宰相閣下のご命令なのですぞ」

「誰のことを言っている？　このデルフィニアに、宰相などというものはおらん」

苦笑を浮かべたタミュー男爵は、今度ははっきりと含みをこめた口調になった。

「失礼ですが、ドラ将軍。そうやって強情を張り続けることは、ご自身のためにも、ご家族のためにも、よくない結果を生むのではないかと思いますが」

将軍の眉が、ぴくりと跳ねあがった。

男爵はとっておきの猫撫で声でさらに言う。

「我々としてもこんなことは言いたくはないのですが、あくまであなたがこの命令を拒み、王宮に対する反逆の立場を取り続けるというのなら……その、それなりの罰則を考えねばなりませんからな。家の主の不始末は家族全員に及びます。このことは、よく御存じでいらっしゃいますな？」

将軍は沈黙したまま応えなかった。ただ、男爵を見つめる眼がますます鋭い光を浮かべているのみだ。

知ってか知らずか、男爵は独り言のように続けている。

「確か将軍のご令嬢は十七歳。うら若く、お美しく、しかもまだ未婚でいらっしゃる。

こんなことになる前は、さぞ幸福な未来を思い描いていらしたでしょうな。名門ドラ伯爵家の一人娘となれば、いくらでも女性としての素晴らしい幸せを手にすることができたはずです。それを、ご自身が何の罪を働いたわけでもないものを、父親の巻きぞえで政府に背いた謀反人と呼ばれるのは、あまりに酷《むご》いとお思いになりませんか」

髭の将軍はむっつりと黙り込んでいる。

サング司令官が頷いて言った。

「これは命令なのだ。ドラ将軍。あなたに拒む権限はない。もしどうしてもこの命令を拒否するというなら、我々はこの場であなたの娘を逮捕し、北の塔へ連行する」

「あなたのお友達のフェルナン伯爵も話し相手ができて喜ぶでしょう。もっとも、妙齢のご婦人にとって、地下の獄中暮しがどのくらい快適かは保証いたしかねますがね。あそこには日がな一日太陽は差しこまず、常に湿気と冷気に脅かされ、いやな害虫もいる。はっきり申し上げれば上下水の区別も怪しいような病害の巣窟です。配給の食事にしたところで家畜の餌とどこまで違うことか。そんな生活にご令嬢が耐えられるとお思いですか？　このお屋敷でのんびりと読書や刺繍をなさっているのとはわけが違うのですよ」

将軍はそれでも何も言わなかった。ただ食いいるように男爵を睨みつけているのみだ。

タミュー男爵は本心から困り果てたように、また同情しているように将軍に訴える。

「考えるのも恐ろしいことではありませんか、ドラ将軍。若く、美しく、魅力的なご婦人に対してなんともお気の毒な酷い仕打ちではありませんか。わたしはそんなことにはしたくないのです。あなたのご令嬢の一生を台なしにするようなことは、ええ、本当にしたくはないのですよ」

将軍は恐ろしく長いこと沈黙していた。

しかし、男爵を睨みつけていた眼光は苦々しげに自分の膝に落とされ、両手は腰を下ろした椅子の肘掛けを色を失うほどに強く握りしめている。

男爵はさらに駄目を押した。

「何度も言いますが、征伐しろというのではないのです。あなたに主君殺しをせよなどと無礼なことを申しあげるつもりはさらさらありません。ただ、あなたはあの男と親しい間柄でいらっしゃる。そのあなたの口からあの男を説得し、ここまで連れて来ていただきたいのですよ。我々はあくまで自身の正義を信じておりますから、あなたが陛下と呼ぶあの男が同じように己の正義を信じているというのならば、公の場で堂堂と論議しようと、そこまで譲歩して申しあげているのです。それでも頷いてはいただけませんか？　だとすればそれは将軍ほどの方にも似合わぬ、なんとも狭いご了見ではありませんか？」

長い弁舌を聞いていたサング司令官が、しびれを切らしたようにつけ加えた。

「将軍には家来を十人と馬を許します。途中、将軍自身の領地に立ち寄られれば、少なくとも五百の家来衆が集まるはず。その手勢を率いて早速、ビルグナに向けて出発していただきたい」

将軍がぼそりと言った。

「ロアとビルグナでは方向がまるで違うぞ。第一、話しあいをするのに何故、五百もの手勢が必要なのか？」

男爵が大げさに眼を見張った。

「これは異なことを。長い間離れ離れにあったのですから、ご家臣の方々も将軍のお傍にいたいのではないかと計らったつもりなのですが、お気に召さない？　でしたらこのお屋敷のご家来衆だけでビルグナへ向かってくださっても、わたしどもは一向に構いません」

「いや。そうだな。長い間、留守をした。寄らせてもらおう」

「では出発していただける？」

「いたし方あるまい」

苦虫をかみつぶしたような、いや、唸るような将軍の言葉だった。

憎くてたまらない敵に飛びかかる寸前の猟犬を思わせる風情である。

しかし、男爵も司令官もそんな殺気には無頓着でいた。一見相対しているようでも、この獰猛な猟犬と自分たちとの間には、決して越えることのできない頑丈な柵があるのだ。

一応おとなしくさせることには成功したようである。となればこれ以上、長居する理由もない。男爵は心底安堵したような面持ちで立ちあがった。

「思いなおしてくださったことを心から感謝します、将軍。ご令嬢のことはご心配なさらぬように。このお屋敷にある限り、ご不自由な思いは一切させませんから。もしお寂しいご様子でしたらわたしの息子を話し相手によこしましょう」

「いらん」

短く、簡潔な言葉だった。

軽く手を振り、用が済んだのなら帰れと示す。

二人はその乱暴な仕草に大人しく従った。

「将軍。必ず考えなおしていただけると思い、あなたの具足と剣を運ばせておきました。後ほど、ご検分ください」

「明朝、お迎えに参る。それまでにお支度を整えられるように」

二人はことの首尾に満足して、二の郭にあるドラ伯爵邸を後にしたのである。


招かれざる客が引き上げると、将軍は立ちあがり、小者たちが控えていた次の間へと足を運んだ。

タミュー男爵の言葉が嘘でなかった証拠に、そこにはこの半年、改革派に取り上げられていた将軍の剣と戦装束がきちんと並べられていた。

白金の兜と拍車。長年愛用している鎖帷子と籠手。ドラ伯爵家の紋章を鮮やかに縫いとった上衣。そして将軍の祖父の代から伝わる、見事な造りの大剣。

将軍はこの半年、夢にまで見た手ざわりと重みを求めて震える手を剣に伸ばした。

現実の感触がそこにあった。

小さく感謝の言葉を呟き、手にした剣の柄に口づける。再会を喜び、相手の無事を祝ってのことだった。それは単なる道具ではあったが、将軍の祖父と父と将軍自身の命を何度守ってくれたかわからない、何より頼みになる友でもあったのだ。

他の具足類も一々検分すると、将軍は勢いよく部屋を飛び出して、屋敷の奥へと足を運んだ。

「シャーミアン！」

起きているかどうかも確かめず、いきなり飛び込んで来た父親に、将軍の一人娘は驚いたように振りかえった。

「父上。どうなさいました？」

十七歳になるシャーミアンは明るい栗色の髪と利発そうな瞳を持った、美しい少女だった。

休もうとしていたところらしく、すらりとした肢体を夜着に包み、髪はほどいて流している。

ドラ将軍は娘の肩を摑み、ほとんど囁くような小声で言った。

「陛下が戻られたぞ」

シャーミアンが息を吸い込む。思わず父親の腕を摑んで忙しく尋ねた。

「陛下が……ご無事で？」

「そうとも。現在、ビルグナにおられるらしい」

「ビルグナに？　ではナシアスさまの下《もと》に？」

「そうとも」

「ああ。父上！　あの方は必ずご無事でいらっしゃると信じていました！」

感極まった声を上げたシャーミアンだが、父親の様子を見やって訝しげな表情になる。

「父上？」

「シャーミアン。わしは明朝、陛下を捕えるために、ビルグナへ出発せねばならん。あの恥知らずどもめ。そうせねばおまえを捕えて北の塔へ送るというのだ。かわいい娘をそんな目に遭わせるわけにはいかんからな。人の道にも親友フェルナンにも背くことだが、止むをえん。わしは断腸の想いでこの理不尽な命令に従うことにした」

いかにも父親の情愛が籠る感動的な光景なのだが、シャーミアンはいたずらっぽく笑って言ったものである。

「父上。お顔が笑っておられます」

「わかるか？」

言葉通り、ドラ将軍は満面笑み崩れている。

実をいえば先刻からなのだ。タミュー男爵が猫撫で声で将軍を脅迫している間中、苦虫を嚙み潰したような表情の裏で、笑い出したいのを必死で堪えていたのである。

「あの阿呆どもめ。あれでわしを脅迫したつもりでいるらしい。いやもう、すぐにでも行くと言いそうになるのを堪えるのに難儀したわ。なんとか、おまえが地下牢送りにされてはたまらんから、渋々出陣するのだという様子をつくったがな」

改革派の考えていることなど、手に取るようにわかっていたドラ将軍だった。自分とウォル・グリークとを仲違いさせようという魂胆だろうが、そんな手には乗らない。さらに自分に五百の手勢を許すということは、さてはビルグナの兵力と合わせてこのコーラルへ進軍をかけさせようというのであり、そこを一網打尽に叩くつもりかと、百戦錬磨の将軍はそこまで瞬時に見抜いていた。

それどころか、計略の上では誰でもよいはずのこの役目をよくぞ自分に振ってくれたと、冗談抜きに感謝したい心境だったのである。

シャーミアンが笑顔で言う。

「父上。おめでとうございます。これでようやくコーラルを解放するため、真実の国王を迎えるために働くことができますのね」

「そうだ。待ちに待っていた時が来たのだ。だが、代わりにおまえを人質として、ここへおいていかねばならん」

真摯な表情で父親を見上げたシャーミアンだった。

将軍もこの時ばかりは沈痛な面持ちで娘を見下ろした。

シャーミアンを生んだ将軍の奥方は早くに死別している。現在将軍の家族と呼べるのはシャーミアンだけであり、かわいくてたまらない一人娘でもあった。

しかし、ドラ将軍は、大きな手で娘の栗色の髪を愛おしげに撫で、低い声で言った。

「シャーミアン。この父が何を考えているか、おまえにはわかるな?」

「ええ」

しっかりと頷いたシャーミアンである。

半年前、国王を救えなかったことを悔やみきれないほど悔いていることも、いざともなれば命に代えてもその人のために戦う決意でいることも、シャーミアンは誰よりよく知っていた。

「おまえにも、おまえの母にも済まぬと思うが……。許してくれ」

「いいえ、父上。謝ったりなさらないで。わたしが何をするかも、父上にはおわかりになるはずです」

髭の将軍が目元をほころばせる。

そして勇猛果敢の父親の血を継いだ娘もまた、にこりと笑って頷いたのだった。

早朝、出発していく父親を見送ったシャーミアンのもとに、その日、客人があった。

タミュー男爵子息、チフォンである。

彼はドラ伯爵家のうら若い令嬢が気になるらしく、シャーミアンが幽閉生活を送っている間も何かと顔を出し、贈り物を届けたりしていたのだが、鬼の居ぬ間に本格的に親しくなろうというつもりらしい。

恋情というよりは打算の行動である。

何といってもタミュー男爵の地位は金で手に入れたものにすぎない。成りあがりの名を何とかしたいと思うのは当然であり、格式のある爵位を手に入れるのに一番手っ取り早い手段は、身分の高い女性と結婚することなのである。

幸いシャーミアンは独身だし、ドラ将軍の家柄、功績は素晴らしいものがある。

今は謀反人に荷担したとして閉門の扱いになっているが、そのくらいの傷がなければ成りあがりの男爵家など見向きもしないだろうから、ちょうどいい組みあわせといえた。

「お加減はいかがですか、シャーミアンどの」

満面に喜色をたたえて現れたチフォンだが、シャーミアンの顔色はすぐれなかった。

父親が自分の身の安全を盾に、気の進まない任務について出発していった後だけに無理もない。

暗く沈んだ顔つきのシャーミアンを見て、チフォンは気づかわしげに話しかけた。

「シャーミアンどの。そんなお顔をなさっていてはいけませんね。せっかくの美しさが台なしですよ。なにか気晴らしをなさってはいかがです？　あなたの読みたがっていた本を持って参りましたし、わたしと共にならば城内の散策もできますよ」

「ありがとうございます。チフォンさま。わたしのようなものに、いつもご親切にしてくださるお心には、深く感謝しております。でも、父のことを思いますと、とてもそんな気にはなれないのです……」

「シャーミアンどの」

チフォンは気障な仕草で贈り物として持って来た花束を机に置くと、肩を落としたシャーミアンを慰めにかかった。

「あなたがそんなふうでは将軍も心苦しく思うはずですよ。本当に、何かしたいことはありませんか？　わたしに何か、あなたのために役立つことをさせてはくださいませんか？」

熱心な態度にシャーミアンは寂しそうな笑みを浮かべた。

「あるといえばありますけれど……虜《とりこ》の身では、とても不可能なことですから」

大げさに両手を広げてみせたチフォンである。

「虜とは穏やかでない。あなたの自由はわたしが完全に保障します。城内はもちろん、城外へも」

「お城の外に？　そんなことができますの？」

「もちろんです。おお、それは確かにシャーミアンどのお一人で出してさし上げるわけには参りませんが、わたしがお連れしますよ。わたしと一緒ならば城の兵隊たちも何も申しますまい」

「チフォンさま」

シャーミアンは榛色《はしばみいろ》の瞳に感謝の光を浮かべて、若い貴公子を見上げた。

「本当に、わたくしの欲しいものをお願いしてもよろしいのでしょうか？」

「もちろんですとも。おっしゃってみてください」

「わたくしは……馬に乗りたいのです」

「馬に？」

驚いたような顔つきになったチフォンだった。

「ああ。そういえば、あなたのお家は軍馬の名産地でしたな。お父上の馬術も素晴らしいものだ。ではシャーミアンどのも馬をたしなまれる？」

「ええ。わたくしは馬の背にあって育ったようなものです。ずっと屋敷の中で過ごしていますと、無性に馬で駆けることが懐かしくて……」

「そんなことなら簡単です。この城内の遊歩道をわたしと一緒に馬で歩きましょう。ちょうど今日は天気もよいし、乗馬にはうってつけです」

「いえ、チフォンさま。そうではありませんの」

シャーミアンは急いで相手の言葉を遮り、懇願の眼で言いつのった。

「わたくしは女の服を着たまま、あらかじめ整備された歩道を闊歩したいわけではありませんの。故郷でそうしていたように、乗馬服を身につけて、綱持ちの小姓などおかずに、思いきり風を切って走ってみたいのです」

これにはチフォンは渋い顔になった。

「失礼ですが、それは、貴婦人の趣味としてはいささか粗野にすぎるのではないかと思いますが？　あなたほどお美しい方なら、そんな男まがいのことをせずとも、音曲なり遊戯なり、他にいくらでもたしなむものはありますでしょうに」

これを聞いてシャーミアンは、がっかりしたようにうなだれた。

「やはり、聞きとどけてはいただけませんのね」

「いや、シャーミアンどの」

「そう……ですわね。本当に。お恥ずかしいことですわ。わたくし、田舎育ちなものですから、どうしても都の華やかさにはなじめなくて。親しいお友達もいませんし、せめてのびのびと走ることができればこの気鬱も止むのではないかと思ったのですけれど……。お許しください。詮ないことを申しました」

「シャーミアンどの、シャーミアンどの。よしてください。わたしはあなたを悲しませるために来たのではないのですから。よろしい。なんとかいたしましょう」

シャーミアンの顔が喜びに輝いた。

「本当ですか。チフォンさま」

「任せておきなさい。ただ、わたしの一存でというわけには参りませんのでね。少し、お待ちくださいよ。父と相談して詳しいことが決まりましたら、また参ります」

チフォンはあくまで優雅に一礼して、シャーミアンの前から辞去していった。

一方、シャーミアンの希望を聞いたタミュー男爵は意外の表情で考え込んだ。

「早駆けがしたいとは、風変わりな令嬢だな」

「まったくです。なんとか思いとどまらせようとしたのですが、他のものでは気晴しにならないらしい。いかがでしょうね、父上？　許してやってもたいして害はないと思うのですが」

「ふうむ。しかしな。将軍家の領地は代々、軍馬の名産地だぞ。あの令嬢も相当に乗りこなすのではないか」

「かもしれませんね。馬の背にあって育ったようなものだと自分で言っていましたから。それがどうかしましたか？」

チフォンはたいしたことでもないと考えているようだが、男爵はあくまで慎重な姿勢である。

「なにしろこの大事な時だ。下手に城外へ出して父親の後を追われてはたまらんからな」

「わたしとてそのぐらいは考えましたよ。ですけど、逃げたところで、ここからロアまで女の身で駆け抜けることができるわけもないでしょう。もちろん見張りは充分につけます。それにシャーミアンどのの馬にはあらかじめたっぷり水を飲ませておきます。長くは走れないようにね。思えばあの令嬢も気の毒ですよ。父親の不始末と同時に宮廷へ呼び寄せられて以来の人質生活ですから。若い娘が半年もの間、家の中に閉じこめられていれば、それは気もふさぐでしょう。少しばかり息ぬきをさせてやるのも悪くないと思いますよ。わたしと親しくなる格好の機会でもありますしね」

「ふむ」

しばらく考えていた男爵だが、やがて肩をすくめた。

「まあ、仕方がないか。むきになって許さないというのもおかしなものだしな」

「そうですよ」

ドラ将軍はおそらく無事には帰れないだろうと、彼らは踏んでいる。あの男に成敗されるか、共倒れになるか、もしくは武力でコーラルを奪取するために戻って来るか。どちらにせよ将軍は生贄となる。

そこで残ったシャーミアンが大変重要になるというわけだ。

ドラ将軍家ほどの名門の血を絶やすには忍びないし、ちょうどいいから我々が面倒を見てやろうと、タミュー父子は考えている。

難物の父親がいなくなったとなれば、あとは十七の娘一人だ。どうとでもできると彼らは考えたのだ。ある意味ではまったくもって正しい判断である。

強いて彼らに落度があったとするならば、タミュー男爵も、チフォンも、将軍家の領地について、馬の産地とわきまえているだけで詳しいことは何ひとつ知らなかった。

さらにはシャーミアン本人に関しても、幽閉生活を始めるようになってから初めて顔を合わせたので、以前のことは何も知らなかった。

伯爵家の令嬢ということで、音曲と舞と詩歌を嗜む宮廷の婦人と同じように考えていたのである。

父親が旅立ってから二日後の朝、早駆けを許されたシャーミアンは髪を結い上げ、乗馬服に身を包んで、迎えに来たチフォンの前に現れた。

今までの沈みがちな顔とはうって変わって、嬉しそうな表情である。

「ありがとうございます。チフォンさま。こんなわがままなお願いを聞いてくださるなんて。チフォンさまは本当にお優しい方なんですのね」

「なあに。女性のお願いとあれば、とくにあなたのお願いとなればどんなことでも」

こちらもにこやかに受けた。

しかし、実のところ、チフォンは男勝りの女はあまり好みではない。化粧気のない素顔も、ズボンと短衣の乗馬服も、なんとも興ざめなことだと思っていたが、さすがに顔には表さない。

今日も晴れやかなよい天気だった。

シャーミアンのためには立派な白馬が用意されていた。他に護衛の兵士が十人いる。

体のいい見張りだが、シャーミアンはそれでも外へ出られることが嬉しそうだった。

久しぶりにシャーミアンの笑顔を見て、チフォンも気をよくして話しかけた。

「ところでどこまで参りましょう?」

「まあ。どうしましょう。チフォンさまが決めてくださると思って、何も考えていませんでしたわ」

眼を見張ったシャーミアンだが、少し考えて、

「では、パキラ山脈をぐるりとまわってポリシア平原のほうまで行ってみてもよろしいでしょうか？　少し遠くなりますが、日暮れまでには戻ってこれると思います」

「もちろん、構いませんとも」

頷いたチフォンは、内心でほっとしていた。

ビルグナとも伯爵家の領地とも正反対の方向である。わかっていて言ったのかどうか知らないが、なかなかかしこい令嬢だと思った。

手綱を取っていざ騎乗しようとしたチフォンに、シャーミアンが申しわけなさそうに話しかけた。

「あの……チフォンさま。よろしかったら、チフォンさまの馬とわたしの馬を交換してくださいませんか？　白馬はあまり好みではなくて……」

「これは、失礼しました。お好みを伺うべきでしたな」

乗る馬が何色であろうとたいした違いはないだろうに、女心というものは妙なものである。やれやれと思いながらもチフォンは馬を代えてやった。

この白馬はあまり長く走れない。しかしまさか、それを話すわけにもいかなかった。都会育ちの彼はあまり馬が得意ではない。もちろん乗れないということはないが、よく訓練された馬しか相手にしたことはない。それも平地をゆるく走らせるのが精一杯だ。

都市部を抜けるまではそれでよかった。遅くなりそうだというので、途中、行きあった農家から昼食用に干し肉と果実酒を調達し、仲よく談笑しながら馬を進めていた。しかし、人家を離れ、森と山に抱きすくめられるような景観のところまで来ると、シャーミアンは堪えきれなくなったらしい。眼を輝かせてチフォンを振り向いた。

「山も緑も本当に久しぶり。わたくし、もうとても我慢できませんわ。失礼して一足先に行かせていただきます」

シャーミアンの馬術は相当なものだった。手綱を取りなおすと、ほとんど手つかずの悪路にもかかわらず、一気に馬を走らせたのである。

「シャーミアンどの！　あまり飛ばされては危険ですぞ！」

早くも遅れがちになりながらもチフォンが叫ぶと、シャーミアンは振り返りざま

「大丈夫ですわ！」と言いかえしてきた。

慌てて追おうとしたが、白馬は早くも足を鈍らせている。舌打ちを漏らした。

「まったく。なんて令嬢だ。おい！　おまえたちは先にいけ。シャーミアンどのを見失うなよ。それからおまえ、わたしと馬を交換しろ！」

一度手綱を絞り、従者の一人と馬を代え、チフォンは悪路に手こずりながらも懸命に馬を走らせた。しかし、先に行った従者たちにようやく追いついてみると、彼らは何やら困惑の様子でうろうろしている。

しかも、十人引き連れてきたはずの従者のうち、チフォンを出迎えたのはわずかに二人だった。

「どうした？　他の者たちは何をしている？」

一人が声を低めて主人に囁いた。

「それが、ご令嬢の姿が見当たりません。皆、探しに行っております」

「なんだと？」

そこはすでにパキラ山脈の山裾であり、鬱蒼とした緑が茂っていた。都市と違ってほとんど人の手が入っていない自然が広がっている。険しい崖もあり、岩場もあり、どこからかせせらぎも聞こえてくる。周囲には濃い枝を広げた木々が生い茂っている。

姿を隠すものは無数にあるということだ。

「いったい何を怠けていたのだ。見失うなと申したであろうが！」

「とんでもないことです。決して怠けていたわけではございません」

「その通りです。ご令嬢の脚があまりにも速く、我々がここまでたどり着いた時には、すでにお姿が見えなかったのです」

チフォンは激しい焦燥を感じた。

もしはぐれたりしたら一大事だ。

しかし、その心配は杞憂だった。緑の蔭から、シャーミアンが軽い蹄の音をさせて現れたのである。

「ごめんなさい。一人で行き過ぎてしまって。あまりに楽しかったものですから」

「いや、こちらこそ面目ない」

とっさに笑顔をつくったチフォンだった。

「しかし、シャーミアンどのの腕前には恐れいりましたね。大の男の我々をこうまであっさりと置き去りになさるとは、たいしたものです」

誉め言葉ではあっても、好意的な響きはない。

恥をかかされたことを暗に非難しているのである。婦人たるもの、男子を立ててくれるべきではないかと言いたいらしい。ましてやチフォンは相手の技量を素直に尊敬できるほどの度量は持っていない。

それをわかっているのかどうか、シャーミアンはにっこりと笑って言った。

「わたくしの故郷では誰でもこのくらいは乗りますわ。父の部下なぞは常々、都の騎士と競っても、駆け比べならば負けはしないと豪語しておりました。まさかそんなことはないと思っておりましたけれど、どうやら本当に、都の方々はあまり馬が得意ではないようですわね」

シャーミアンがあまりにも素直に驚いているので、チフォンは不機嫌になった。

日頃は剣を取っての武勇になど、かけらの値打ちも見出さないでいるのに、どうも自分が軽んじられたようでおもしろくなかったのである。

「確かに馬での駆け比べとなれば、あなたの故郷の殿方に分があるのかもしれませんが、武器を取っての勝負となれば話は別でしょう」

「まあ。そうでしょうか？」

「そうですとも。なんといってもコーラルの近衛兵団はその実力を他国にまで知らしめています。地方の兵隊とは実力が違います」

「では試していただけますか？」

どういう意味かと思った時には、シャーミアンは素早く馬を寄せ、あっという間に従者の腰から剣を抜き取っていたのである。

「何をなさいます。シャーミアンどの！」

チフォンが叫び声を上げるのにも構わず、シャーミアンは剣の柄で従者の首を殴り倒し、もう一人の胸を刃の峰で強打していた。どちらも一撃で気絶したらしい。馬から転げ落ちて動かなくなった。

「い、いったい何を！」

その先をシャーミアンは言わせなかった。返す刃でチフォンの馬の手綱を切断した。

「シャーミアンどの！」

手綱を切られては馬の操縦は不可能である。少なくともチフォンには到底できない。これでは馬上にありながら身動きを封じられたも同然だった。

しかし、チフォンの驚愕はまだ続いた。栗色の髪の令嬢は固い表情で、チフォンに剣を突きつけたのである。

「馬から下りてください。チフォンさま」

「ば、馬鹿なことはおやめなさい！　こんなことをしていったい何になりますか！わたしの計らいを、あなたのお父上の努力を無にするおつもりですか⁉」

しかし、チフォンより十歳も年下の伯爵令嬢は、ひどく冷静だった。

「わたしが慣れているのは馬ばかりではないのです。剣術は五歳の時から父に仕込まれました。その切れ味をあなたご自身のお体で試してごらんになりますか？」

相手の本気を悟ったチフォンは真っ赤に紅潮しながらも馬を下りた。

シャーミアンは素早かった。空になった馬の鞍から食料を取り上げると、勢いよく鞭をあてて走らせた。他の二頭も同じようにする。

その有様を地面に放り出されたチフォンは憎々しげに眺めていた。

どうすることもできなかった。

馬上の相手に徒歩で斬りかかるには、少なくとも、蹴られることを恐れないだけの勇気と、百戦錬磨の戦いの技術がいるのだ。チフォンにはそのどちらもない。シャーミアンのすることを黙って見ているしかない。

できるのは相手の努力を嘲り笑うことくらいである。

「そんなことをしたところで無駄ですよ。残りの者たちが必ずあなたを捕えます」

「いいえ、チフォンさま。わたしは捕えられはいたしません。父と共にあの方の元へ参ります」

「あんな男！」

はっきりと怒声を上げたチフォンである。

「前国王の血を引いているというだけの私生児！　わたしにはわかりかねますね。あんな男に肩入れしたところであなたがたに勝ち目はありませんよ。やがては捕えられ、処刑されます。あの男ばかりではない。あなたも、お父上もね。あなたのその首に死刑執行人の斧が振り下ろされる日が近いうちに必ず訪れます。それでも構わないというのですか？　それともあなたにそこまで言わせるものがあの男にあるというわけですか⁉　だとすればあの偽王は女性の扱いにだけは長《た》けていたようですな！」

シャーミアンは男の罵倒によく耐えた。やや青ざめはしたが毅然と言い返した。

「わたしは女ではありますが、同時に父と同様、デルフィニアのために戦う騎士です。あの方にならばわたしの命を捧げても惜しくはありません。父もそう考えております」

「正気の沙汰とは思えませんな！　わたしにはさっぱりわかりませんよ！」

馬上のシャーミアンが真摯な面持ちで言った。

「それがわからない。わかっていただけないところに、あなたとわたしの信ずるものの違いがあるのです」

他の従者たちはまだ現れない。

慣れた手つきで手綱を取り、シャーミアンは馬首を返した。

「さようなら。チフォンさま。あなたのご好意を感謝します。それから、厚かましいお願いでなければわたしを許してください」

「厚かましい限りの言いぐさですな！　この期に及んで女性の武器を使おうというわけですか？　それでわたしがあなたに対して手加減をするとでも？　お甘いことだ！」

そんな男の態度を見て、シャーミアンは少しばかり気の毒そうな表情になった。

「あなたにも自分の敵を知ろうとする心と、見抜くだけの眼が備わるように祈ります。あなたは初めからご自分の尺度でわたしを測り、最後まで本当のわたしを知ろうとはなさらなかった。あの白馬にわたしがおとなしく跨がると、本気で思いましたか？」

チフォンは悔しげに唇を噛み、壮絶な顔で馬上のシャーミアンを睨みつけた。

「長く走れない馬に気づかず騎乗するようなものは、わたしの故郷には一人もおりません」

あくまで静かにシャーミアンは言い、馬上からではあったが丁寧に頭を下げた。

今度こそ男に背を向ける。

「はいっ」

従者から取り上げた剣を抜き身のまま乗馬服の帯に手挟み、軽く馬の腹を蹴る。

高く嘶いて馬が走り出して行く。

その姿が見えなくなったころ、ようやくチフォンの従者たちがやって来た。

倒れている仲間と馬を失った主人に驚きの眼を向ける。

「チフォンさま。いったいこれは⁉」

「馬鹿者ども！　何をもたもたしていたのだ！　さっさとシャーミアンどのを追え‼　追って引っ捕えろ‼」

「ご令嬢を、ですか？」

「ああ。そうとも。あの逆賊の小娘をだ‼」

チフォンにはシャーミアンの語ったことの意味は半分も理解できていなかった。人の情けを木端微塵に踏みにじったシャーミアンに対して腹だたしさ以外の何物も感じなかった。一人の人間としての誇りも信念もチフォンには理解の外にあった。

あんな男に惚れ込むとは馬鹿な娘だと苦々しく思うばかりだったのである。

9

「ところで、近頃はお会いしないが、ドラ将軍はどうなさっておられるかな？」

現在は事実上の国王代行であるノラ・バルロは、署名の手を休めず、何食わぬ顔で問いかけた。

当年二十二歳。王国でも名うての騎士として知られるようになってからすでに数年が経過しているが、未だにこの若さだった。いかに少年のころから、武術に優れた才能を発揮していたかが窺える。

鍛え抜いた長身は健康そのものの精気と力にあふれ、眼も髪も黒々と輝いている。そんな外見の特徴を見るなら、あの男に似てもいるのだが、雰囲気のほうはだいぶ違っていた。

あの男が自然と身につけている貫禄も、憎めない素直さも、この人には縁がない。同じ黒い瞳でもバルロのそれは常に皮肉混じりの狡猾な笑みを浮かべているし、同じ陽に灼けた顔だちでも、はっきりと野性的でしたたかである。陽気で猛々しく、享楽的で剽悍という、己の腕に自信のある身分の高い若者の典型とも言うべき人物だった。

この人にはさまざまな地位と名誉が与えられているが、本来の身分をいうならデルフィニアでも屈指の大貴族、サヴォア公爵その人ということになる。先代公爵であった彼の父は数年前に亡くなり、一人息子だったバルロが家督を継いだからだ。

しかし、何とも似合わない肩書きである。バルロ本人もサヴォア公爵と呼ばれることを嫌い、ティレドン騎士団長、もしくは単に騎士バルロと呼ばれることを好んだ。

実際この男はどうみても実戦型なのだ。公爵の称号も机仕事もまるで似合わない。

そのバルロにとって国王代行という今の肩書きがいかに苦痛に満ちたものであるか、あえて想像するまでもない。

「さて。わたしも近頃お会いしませんので」

問いかけられて、何食わぬ顔で答えたペールゼン侯爵である。

次々と持ちこまれる書類を捌《さば》きながらの生返事だった。顔を上げもしない。

そんな反応は予想済みだったのか、バルロもあくまで何食わぬ顔で突っ込んだ。

「希代の闘将と呼ばれた方が半年もの蟄居生活ですからな。近々お見舞いに伺いたいものだが」

ペールゼン侯爵はようやく顔を上げた。

「どういう風の吹きまわしでしょうかな。バルロどの？　あなたが他人のことをそこまで気にかけられるのは初めて耳にいたしましたが」

「別に？　他意はありません。ただ、将軍もわたし同様、閉じこめられるのも監視されるのも大嫌いな方だったはずですからな。ましてや意に反して謀反人呼ばわりされるに至っては、それはもう、大変な義憤を覚えられる方だ」

たっぷりと皮肉の籠った言葉にも、侯爵はたいした反応も見せなかった。穏やかに笑い返したのみである。

小憎らしいくらいの落ちつきぶりだった。

「謀反人とは穏やかではありませんな。バルロどの。わたしは将軍の心意を疑ったことなどただの一度もありません。あなた同様、ドラ将軍が熱烈な愛国の士であることは重々承知しております」

バルロは黒い眼に皮肉と怒りの混ざった光を浮かべて、部屋の入口を固めている武装兵を見やった。

「それにしては待遇がいまひとつよくない」

「おお。それはあなたがたがいけない。あなたも将軍も、何といいましょうか、もう少しお友達を選んでくだされば、こんなことにはならなかった。わたしとしてはなんとも残念に思っているのですよ」

今度は感心したように眼を見開き、両手を広げてみせたバルロである。

「さすがに大政治家はおっしゃることが一味違いますな。問題のすり替えもお得意らしい」

ここは昼日中の執務室である。つまり仕事中にこんな嫌味の応酬をしているわけだ。

公私を問わず、この二人の聞くに耐えないやり取りはいつものことなのだが、今日はとりわけひどい。

大きな体を窮屈そうに椅子の中で伸ばして、バルロは独り言のように呟いた。

「ま。もうじきのことだ。すぐに俺がこんな机に張りついていなくてもよくなる」

「それはどういう意味ですかな。バルロどの?」

黒い瞳がにやりと物騒な光を放つ。

「じきに、この王宮の真実の主が戻ってこられるからだ。そうなればわたしは晴れてお役御免ですからな」

ペールゼン侯爵はわずかに苦笑したのみだった。

それは極秘事項であり、決してこの男の耳には入らないようにしていたはずである。

どこから漏れたか知らないが、耳の早いことだと思った。

もっとも初めから隠しとおせるとは考えていない侯爵である。祭司長などは厳しい箝口令を敷いたようだが、こうしたことはいくら封じても必ず漏れるものなのだ。

「誰のことを指していらっしゃるのかわたしにはわかりかねますな。この王宮の真のあるじは、そう……最後の主は七年前に崩御されました。あなたの伯父上にして偉大なるドゥルーワ王その人ですが、先王がお亡くなりになられてからは、この王宮は壮大な空き家のようなもの。こうして留守を守る我々も寂しい限りです。わたしとしては一日も早く、正当なる主君を迎えたいと切望しているのですが、いかがですかな。バルロどの？」

「その詭弁がいつまで続けていられるかな？」

はっきりと敵意を持って侯爵を睨みつけたバルロだった。

「今に見ておれよ。従兄上《あにうえ》は貴様らごときにしてやられる方でも、こんな不正義を見逃す方でもないのだぞ」

「どうも肝心の主君は少しばかり思いちがいをしておられるようで、難儀をしております」

まるきり他人事のようにやんわりと言う。

「あなたの従兄上。はてさて。そのようなお方がいらっしゃるなら、長年デルフィニア王家に仕えているこのわたしが知らないはずはないのですが？　奇妙なことですな。とんと記憶にありません」

痛烈な舌打ちを漏らしたバルロだが、それ以上は言わなかった。

この問題に関してはあくまでしらを切りとおそうというのがペールゼン侯爵の術策である。

まともに言い争いをしたところで、のらりくらりと言い抜けられるのが落ちだ。

侯爵もそれ以上バルロの相手をするつもりはないようで、丁寧に書類を整えた。

「さて。今日はこのくらいにいたしましょう。明日の予定は後ほど申しあげますが、タンガとパラストの大使に、それぞれお会いしていただくことになると思います」

「そんなもの。そちらで適当に処理すればよろしかろう」

「そうは参りません。わが国の情勢に隣国が興味を持つのは当然のことですからな。彼らは特に、わが国の王の姿を知りたがっているのです」

「では待てと言ってやんなさい。デルフィニアの国王は他行中です」

書類を抱えて立ち上がったペールゼン侯爵は、品のいい面差しを少ししかめて、ゆっくりと口を開いた。

「あなたの伯父上にしてわたしのただ一人の主君でもあるドゥルーワ陛下は、それはご立派な方であらせられましたが、一度だけ、聡明なあの方にも似合わぬ不始末を引き起こされたことがございます。侍女奉公にあがっていた農家の娘に手をつけられ、身籠らせておしまいになった」

バルロは黙っていた。ただ、鋭い目線を向けたのみだった。

「国王の子となれば、それが男子であろうと女子であろうと、地位と名誉を与えねばなりません。これはもうわたしごときがわざわざ口にするまでもない当然のことです。しかし、この場合は問題がありました。と申しますのも、その娘は国王づきの侍女でもなく、奥棟に勤めるものでもありませんでした。男手が足らぬというので馬屋番に雇った下女に過ぎなかったのです」

「それがどうしました。いかに母親の身分が低かろうと、陛下のお子であることに違いはないはずだ」

バルロは言ったが、どこか皮肉な微笑を浮かべた侯爵である。

「ですから、陛下のお子であるかどうか、怪しいと申しあげているのですよ」

「……………」

「遠乗りの御供に出かけた際、陛下にお情けをかけられたのだとその娘は言いはり、陛下もそのことはお認めになりました。ですが、その娘が陛下お一人しか知らなかったかどうかは、同時期に他の男との関わりがなかったかどうかは大いに疑問とするところでした。あの娘は他にいくらでも複数の男と接触することができたのですからな。同じ馬屋で働いていたものかもしれません。あるいは町中に出かけた際、密かに子どもを身籠ったのかもしれません。それを言うに事欠いて陛下のご落胤であるとは……まったく……」

侯爵は形のいい口髭を侮蔑の形に歪めている。

「口からでまかせにも程があります。いかさま師とはあの娘のことを言うのでしょうよ」

バルロはしかし、皮肉たっぷりに笑っていた。

「おかしな理屈だ。だからといって、その娘が真実を語っていたのではないと、何故言いきれます?」

「若い娘の道徳心というものがどれほど当てにならないか、バルロどのは御存じない?」

「侯爵のほうこそ今少し女というものを学ばれるべきでしょうな。確かに尻軽としかいえない女は数多くいます。若い古いにかかわらず。だが、一人の男を愛したら他には決して眼を向けない女も多くいる。俺はよく知っている」

「あなたはその娘をご存じない」

侯爵はあくまでやんわりと言った。

「わたしはその娘を実際に検分しました。身分も教養もない、野卑な田舎娘でした。まるで馬鹿のひとつ覚えのように陛下のお子だと繰り返すばかり。あれでは到底、信ずるわけにはいきますまい」

「なるほど侯爵はその娘が侯爵ばりの弁舌をふるって、いかようにして自分が陛下に愛されたかを切々と説いたりはしなかったので、その娘の言うことは嘘だとおっしゃるわけか？」

バルロは感心したように眼を見張って、

「では侯爵は民衆というものもご存じないというわけだ。彼らは真実を言う時、その理由などを述べはしない。むしろ疑われるときょとんとする。本当のことを話しているのにどうして嘘だと言われるのか不思議に思うからだ。彼らはあなたがたのように先の思惑や利得を考えてものを言ったりはしない。税のがれの嘘を言うことはあってもね。おそらくその娘も、あなたがたがどうしてそこまで自分の言葉を疑うのか理解できなかったのでしょうよ。本当のことだから頑強に主張した。それを無理やりでたらめだと決めつけるほうが妙ではありませんか」

侯爵は軽くため息をついた。

「あなたも頑固な方ですな。あまり母上を心配させるものではありませんぞ」

「侯爵のほうこそ、意外とやきもち焼きでいらっしゃるようですな」

「わたしが、なんですと？」

バルロは椅子に納まったまま、くつくつと笑っていた。

「侯爵は要するに、その娘のように身分も地位もない卑しいものが、ドゥルーワ王の男子を産むという最大の名誉に与ったことを、激しく嫉妬していらっしゃるわけだ。だから従兄上をも認めようとなさらない。違いますか？」

あの男がドゥルーワ王の血を引く男子であることは、すでに議会で承認されたことである。それを今になって血筋に疑惑ありとペールゼン侯爵は言い出している。

そうすることで、あの男の存在そのものを抹消してしまおうという政治的判断なのかもしれないが、バルロの指摘もあながち外れてはいないはずだった。

なにしろ身分の高い者たちが主君に近づこう、主君を独占しようとする努力は滑稽なくらいである。当然、自分たちより身分の低いものが主君に眼をかけられて寵愛されるなど、とても我慢できない。認められない。必ず排斥しようとするはずである。

しかし、ペールゼン侯爵は何も言わなかった。

バルロを見る目にもとくに感情の変化は見られなかった。

「ドゥルーワ陛下の王子さま方は、すべてお亡くなりになられました」

静かに言って一礼し、部屋を出ていった。

残されたバルロもまた、軽い舌打ちを漏らすと、兵士たちに囲まれるようにして、一の郭内にある自分の屋敷に引き上げた。

この半年、見張りなしには外出もできないようになっているが、さすがに屋敷の中だけは自由にふるまえる。

もっとも屋敷に仕える召使いたちも色々で、主人の不遇に同情するものもいれば、母親のアエラ姫に忠実で、バルロの監視役として眼を光らせているものもいるのだ。

結局、どこまでも自由とは程遠い。

自室に戻ったバルロは小姓さえ追いはらって一人になり、好みの酒を大きく呷って深い息を吐いた。

改革派の計略とはいえ、ドラ将軍がビルグナへ出陣し、一人娘のシャーミアンもまたチフォンの手を振りきって逃走したという。

激しい焦燥を感じるのを抑えきれない。

本当に体が焦げるような気さえするのだ。

酒杯を握りしめたバルロの手は力をこめるあまり、細かく震え始めている。

扉のほうから静かな声がした。

「若君。過ぎた御酒はお体に毒でございます」

「カーサ。若君はよせ。これが最初の一杯だ」

執事のカーサはもう六十になっている。バルロが生まれる前から公爵家に仕えている腹心であり、身分は違えどバルロにとっては家族同様の『爺や』だった。

そのカーサは、近づいてくると机の上の酒瓶を取り上げた。

若い主人が不満の眼差しを向けると、カーサはほとんど無表情のまま、やんわりと言ったものである。

「お酒で乱れた頭では、陛下のお役に立つことも、かないますまい」

舌打ちを漏らしたバルロは手にした酒杯をもてあそびながら、しばらくうっそりと黙り込んでいたが、やがて叩きつけるように酒杯を置き、窓辺に立った。

「翼が欲しいぞ。俺は」

カーサは黙っている。年若い主人の気持ちを慮《おもんぱか》ってのことだった。

バルロはむしろ憎々しげに言葉を吐き出している。

「これほど己の無力を呪ったことはない。デルフィニアに正当な主君が戻ってきたというのに。女のシャーミアンどのでさえ見事に自由の身となることに成功したというのに！　俺はこんなところでくすぶっていることしかできん！」

この屋敷はドラ伯爵邸とは比べものにならない厳重な監視のもとにおかれている。ましてやバルロでは正門の外へ出ることすら不可能だった。改革派にしてみればバルロは大事な手駒である。失ってはなるまじとする警戒ぶりは尋常ではない。

ほとんど泣きそうな程に顔を歪めて、バルロは唸るように言った。

「ナシアスが羨ましい。従兄上とどのような会話を交わし、どのような方法でこのコーラルを攻め落とすか、こと細かにうちあわせているかと思うと、ちくしょうめ。ペールゼンではないが嫉妬で焼き殺されそうだ」

「若君」

カーサがあくまでやんわりと、主人をたしなめにかかった。

「情けないことを申されますな」

「おまえにはわからん。まさに王国存亡の時だというのに馬も剣もはぎ取られての人質生活だぞ！　ドラ将軍はまだいい。俺と同じ屈辱を味わったにせよ、いざという時に働ける。だが俺に何ができる⁉　この肝心な時に屋敷に閉じこめられ、馬鹿どもの相手をしていなければならんのだぞ！　ええい、ナシアスめ。許せん！　一人だけうまいことをやりおって！」

カーサが、こほんと咳払いをした。

「若君。今のお言葉、次にナシアスさまとお会いした際、わたしの口から正確にお伝えいたしますぞ」

「なに？」

「自分を差しおいて陛下と親しくなさるとは生意気であり、大変に腹立たしい。まったくもって許しがたい。少しは分をわきまえるべきだと、あなたさまがそのようにおっしゃっていたとお伝えいたします」

「カーサ‼」

仰天したバルロである。

「俺がいつそんなことを言った！」

「要約すればそういうことです」

「馬鹿を言うな。だ、だいいち、そんなことをナシアスの耳に入れてみろ！」

どんな目にあわされるかわからないと表情いっぱいで訴える主人に、カーサは少し首を傾げた。

「ナシアスさまはお優しい方ですぞ。わたしのような老人のことまで、何くれとなく気遣うお手紙をくださいますし、あなたさまのことを深く思いやるお心のあふれる文面には不覚にも涙したくらいです。あの方はあなたさまの難儀をご自分のことのように感じられ、心を痛めておられます」

「それは！　それは確かにそうだろうが、優しいだけの男にラモナ騎士団長が勤まると思うのか⁉　あいつはいざとなれば表情ひとつ変えずに敵を突き殺すやつだぞ！」

「おお。それも一緒にお伝えいたしましょう」

「カーサ‼」

バルロが悲鳴を上げる。懇願の顔つきになって言いつのった。

「頼むから待ってくれ。俺に死ねと言うのか？　そんなことがあいつの耳に入ったら、俺はその場で殺されるぞ。第一その、今のはほんの軽口だ。ただの戯言だ。俺の本心とナシアスに取られるのは耐えられん」

長年のお守り役は、それでようやく勘弁してやることにしたらしい。

「ならば結構です。このカーサ、友の心をないがしろにし、羨むばかりか嫉むような情けないご主人にお仕えした覚えはございませんからな」

バルロは大きく安堵の息を吐きながらも少しばかりいまいましげに小さく呟いた。

「俺も主人を脅迫するような執事を持った覚えはないんだがな……」

「何ぞ、おっしゃいましたか？」

「なんでもない！」

慌てて首を振る。どうにもこうにも食えない『爺や』だった。

「若君。焦りは禁物です。自由に動けるナシアスさまを羨むお気持ちはわかりますが、人と同じことを望むのは安易な道ですぞ。それよりも、若君にしかできないことをなさいませ」

自嘲ぎみに笑ったバルロである。

「囚われの身で何ができる？」

「できますとも。ナシアスさまやドラ将軍が外から陛下をおまもりしてこの王宮へお連れするのであれば、若君は内から陛下をお迎えする準備をなさいませ。何もせずに手をこまねいているとは、それこそ若君らしくもありません。内と外から同時に力を加えればナシアスさまも陛下も助かりましょうし、難攻不落のコーラル城も少しは脆くなりましょう」

驚いたように聞いていたバルロだが、聞き終えると、にやりと笑ってみせた。

「昨今の年寄りは怖いことを言うものだ。このコーラル城に穴を開けようというのか？」

「この際は止むをえませぬ。穴が開いてくれなければ、陛下は城壁の外で立ち往生されてしまいますからな」

「しかしな。内部からの切り崩しなどという地味な戦は俺の性分に合わん」

カーサは片方の眉をちょっと吊り上げ、条件反射でバルロは首をすくめた。

「若君。よく眼を見開いて王国の現状をご覧なさいませ。そのような贅沢をおっしゃっている場合かどうか、よく考えてご覧なさいませ。そもそも幽閉の屈辱とおっしゃいますが、あなたさまは五体満足でお元気でいらっしゃる。それだけ大声でわめくことができれば上等です。しかし、現在、市内の各所で善男善女が苦しめられ、自分の身と生命を必死で守らねばならない熾烈な戦を強いられているのですぞ。力のないものにとり、それがどれほど深刻な戦であることか、どれほど勝ち目のない絶望的な戦いであることか、おわかりになりますか？」

バルロは言い返せなかった。

少年のころから剣を取り、むしろ溌剌と敵と戦い、倒してきたバルロには、弱者の心はわからない。

だが、それだけに、権力者に踏みにじられる弱者の姿は悲惨を極めるということは知っていた。

というのも、母親のアエラ姫が聞いたら卒倒するだろうが、幽閉される前のバルロは好んで、いわゆる『悪所』へ出かけていたのである。

こんなことは本来ならカーサが厳しく叱りつけて止めさせるべきだが、この老人もそこは並ではなかった。なまじ大きな公爵家の跡取りだからこそ、下々の様子に無知ではいけないと考え、若君の多少の悪遊びにも眼を瞑ってやっていたのである。

そのカーサが今は厳しい表情を崩そうともせず、若い主人を見つめていた。

「生命も危うくなるほどに虐げられ、踏みにじられている彼らの戦に比べれば、獅子身中の虫になることくらいがなんだというのです?」

「俺の執事はいつまでたっても口の悪さは直らんらしい」

ぼやいてから真顔になる。

「カーサ。町の治安はそれほど悪くなっているのか？　改革派の馬鹿どもはとうとう市民に手をかけるようになったのか？」

「いつの世にも真っ先に犠牲になるのは、力のない、弱いものでございます」

ふだんと同じように淡々とカーサは言ったが、深い皺の刻まれた顔には何ともいえない苦渋の色がある。

「若君。自棄《やけ》を起こしてはなりません。今は自重なさいませ。下手にことを起こせば事態の悪化を招くだけに終わりますぞ。陛下を……あなたさまの従兄上を信じて待つことです」

「友人もな」

バルロは苦笑して、再び窓の外に目線を移した。今、この王宮の真の主人はバルロが誰より頼みにする友人と共にあり、誰よりその武勇を認めている将軍が援護に駆けつけようとしているのだ。ならば何も案ずることはない。

そして彼らの目的地はまさにここ、バルロのいる王宮なのである。

振り向いた時のティレドン騎士団長は、いつもの皮肉の混ざった陽気な笑いを浮かべていた。

「おまえの言う通りだな。カーサ。無力を嘆くのは女子どもに任せて、俺は俺にできる方法で従兄上のために働くことにする」

「それでこそわたしの若君でございます」

終始無表情だったカーサが初めて、かすかに微笑んだようだった。

10

ガレンスは啞然とした面持ちで、叩き落とされた自分の剣を見やっていた。

勝負に絶対はないということを、彼はよく知っている。時の運の言葉通り、実力で勝《まさ》っていても必ず勝てる保証はどこにもないのだということも充分にわかっている。

それでもこの試合で自分が負けることは『あり得ない』ことだったのだ。

しかし、現実に剣は彼の手を離れ、手首には鈍い痛みが残っている。

眼の前では金髪を結い上げた少女が軽く小首を傾げて、茫然自失のガレンスを窺っていた。

勝負は一瞬だった。

ナシアスを始めとして、騎士団員の主だった騎士たちが見守る中、ガレンスは面倒くさそうに、こんな小娘と試合わなければならないとは情けないとの態度を隠そうともせずに、少女と向きあった。しかし、何がどうなったかもわからないうちに、ガレンスの剣は彼の手を離れていたのである。

仰天したものの、彼はさすがに歴戦の勇士だった。すぐさま立ちなおった。

「も、もう一番、お願いする！」

「何度やっても同じだよ」

少女が冷静に言った。

「そんなことはやってみなければわからん！」

ガレンスも引かなかった。こんな少女に後れをとったとあっては、騎士の誇りも名誉もあったものではないのだ。

「なるほど少しは遣えるようだ。その歳にしては奇妙きわまりないことだが、今のは俺の油断だ。次は本気でやる！」

「本気でね。ぜひともそう願いたいな」

少女は皮肉めいた微笑を漏らし、剣を構えなおした。

ガレンスも今度は真剣そのものの表情になって、剣を取り上げた。

この有様をウォルは少しばかり苦笑しながら、そしてナシアスを始めとするラモナ騎士団員は、あっけにとられて見つめていた。

彼らはガレンスの腕前をよく知っている。

剣術ではナシアスにやや引けを取るものの、その剛力は凄まじい。とくに肉弾戦においては十人がかりの襲撃も跳ねかえす。彼は神業に近い剣術を誇るナシアスと並び、ラモナ騎士団の文字通り英雄だった。

それほどの男が彼らの眼の前で、目方も身長も半分しかない少女に、軽くあしらわれているのである。

とにかく動きの速さが違いすぎる。

馬と競って勝利する脚だ。人間のガレンスに追いきれなくても無理はない。

足の速さばかりではない。剣先の素早さ、的をつく時の正確さも少女が上だった。

真剣を使っているのが嘘のようだった。至って無造作に、ひょいひょいと剣を揮う。それだけでガレンスは籠手を切られ、剣帯を切られ、外套までばっさりと切り落とされたのである。それでいて男の体には傷ひとつつけていないのだ。

体重を持たないかのようにひらりひらりと動く相手をどうしても捕まえることができず、ガレンスはしまいには驚愕の表情を顔に張りつけたまま、足を止めてしまった。

「なんだ。もうおしまい？」

「い、いや。そんなことはない。だがその……逃げまわってばかりでいては勝負にならんぞ！」

「負け惜しみに聞こえるなあ」

大真面目に言った少女である。

「じゃあ、足を止めて斬りあいにすればいいのかな?」

「そうとも! 力でならば負けはせん」

聞いていたウォルが首を傾げて、それはどうだか、と呟いたのをはたしてガレンスは聞きとったかどうか。

「じゃあ面倒だからこうしよう。ぼくはこのまま動かないから、きみはぼくに正面から斬りつけるんだ。その一撃を受け止められたらぼくの勝ち。ぼくの剣を飛ばすことができたらきみの勝ちだ。いい？」

「よいとも！　願ってもないわ！」

自信たっぷりにガレンスは言った。彼のまっこうからの斬り下ろしは人一人を縦に両断することさえかなうのである。

ラモナ騎士団広しといえどもこんな荒技をしてのけられるものは他にはいない。少女一人の剣を叩き落とすことなど造作もない。

はずだった。

現実にどうなったかといえば、少女はさすがに両手を使いはしたが、頭を狙ってきたガレンスの剣をがっちりと受け止めたのである。

勝利を確信していた大男の顔が驚愕に変わり、それは次第に恐怖に変わっていった。

額が真っ赤になるほどの満身の力を込めて、十文字に切りむすんだ少女の剣を叩き落とそうとしているのに、どんな大兵の持つ剣だろうと、この攻撃に屈しなかったことはないというのに、少女の腕はびくともしない。

それどころか、ガレンスがわずかに呼吸を継いだ間を狙って手首を返し、ただの一撃で剣もろともガレンスをはじき飛ばしたのだ。

不意を食らったガレンスは大きく体勢を崩し、なんと地面に尻餅をついてしまったのである。

「ぼくの勝ちだね」

そう言われてもガレンスは尻餅をついたまま、間抜けのようにぽかんとしていた。

言葉など出てくる状況ではなかったのだ。

一部始終を見届けた騎士たちも、副団長の様子を笑うどころではなかった。

顔面蒼白となりながらガレンスの心境を代弁した。

「こ、これは、人間ではないぞ！」

昨夜、少女が言った通りになったわけである。ナシアスも驚愕の表情を隠そうともせず、主君を振り返った。

「陛下。これはいったい……。あの娘はいったい、何者です?」

その国王陛下は悪戯っぽく笑っている。

「だから俺が何度も言った。あれは人ではない。正真正銘の勝利の女神だとな」

少女はガレンスに手を貸して立たせてやっている。

その手が自分に触れようとした時、ガレンスは尻餅をついたまま後ずさろうとした。

呼吸は大きく荒く、信じられないものを見る眼で眼前の少女を見つめていたのだ。

だが、この男はすぐに、そんな態度を恥じたらしい。身震いしてぴしゃりと自分の両頰を叩き、大人しく少女の手を取った。

立ち上がると二人の身長の差は相当なものである。

「まだやる?」

訊いた少女にガレンスはぶるぶるっと首を振った。

「い、いや。失敬。も、もう充分だ」

少女を見るガレンスの眼は、今までのそれとはがらりと変わっている。

真剣な眼で少女を見下ろしたラモナ副騎士団長は、言葉を喉に詰まらせながらも、名のある騎士か武将に対するような口調で話しかけたのだ。

「み、見事な、お手なみだった。か、か、感服。いたした」

「そっちもね」

「そ、その……戦士」

「リィだよ」

「で、ではその、リィ」

ガレンスはしどろもどろになりながら、まだ震える手で額の汗を拭き、小さな少女にぎこちなく頭を下げたのである。

「そ、その……昨夜からの、わたしの態度を許してもらいたい。なにより、そなたの言葉を疑ったことを詫びる。まったく、穴があったら入りたいとはこのことだ」

恐ろしく率直な態度に、少女はおもしろそうに笑って、たった今戦った相手を見上げたものだ。

「それならぼくも、ひとつ許してもらわなきゃならないな」

「なにを？」

「きみをみくびったことを。きみがこれほど潔い剣士だとは思わなかった。たとえ負けても、あくまで負けを認めずに、見苦しくあがくだろうと思っていたからさ」

これにはガレンスが真っ赤になって反論した。

「そんなやつぁ人間のクズだ！」

「そうとも」

「そんなやつには剣を取る資格も、騎士と名のる資格もない！」

「その通り。だから、おたがいさまだ」

ガレンスは眼を丸くし、ついでまじまじと少女を眺め、盛大に吹き出していた。

少女も楽しそうに笑っている。

ラモナ騎士団の主要な騎士たちが驚きをもって見守る中、ガレンスは少女につき従うようにして主君の下までやって来た。照れくさそうな顔で頭を掻いている。

「いや、面目次第もありません、陛下。昨夜の大口を恥じいるばかりです」

「なあに。おまえに落度があるとは思わん。普通なら、こんな娘とおまえとで勝負になるわけがない。しかし、とにかく常識の通用しない娘だからな」

「まさしく。実をいえば今でも信じられません。なんだってこの——こんな細っこい華奢な腕で、わたしの相手ができるんだか」

ガレンスは感嘆と畏れの入りまじった顔つきで少女を見やっている。

それは他の騎士たちも同様だった。ガレンスと剣を合わせる前は、明らかな苦笑と、からかいの混ざった冷やかしの目線を向けていたのに、今は何か特異なもの、一種の神がかり的なものを見る眼に変わっている。

それはひとつ間違えば恐怖に成長する感情であったはずだが、うまい具合に畏敬に傾いたようだ。

無論、その原因の多くは、彼らの主君が無条件に少女の武勇を称えているからに他ならない。

ウォルはすでにもっとも驚き、もっとも恐怖する頂点を通りすぎている。後は素直に相手を評価し、賞賛するだけの柔軟な精神を、この男は持っていたのである。

国王としてはとことん風変わりな男は、笑顔で忠実な部下を振り返った。

「どうだ。ナシアス。おまえもこの娘と試合《しあ》ってみるか？」

「そう願いたいところですが、こちらの勝利の女神は引き受けてくださいますかな」

「リィでいいってば。本当の勝利の女神が聞いたら気を悪くするぞ」

少女の口調はあっさりしたものだ。今の一番に関しても、とくに得意そうでもなければ誇らしげな様子でもない。こんなことはいつものことだと言わんばかりである。

そんな少女にガレンスが熱心な態度で勧めたものだ。

「俺からもお願いする。ぜひとも団長と立ちあってもらいたい。俺に勝てんとなれば、あとはナシアスさまをおいて、相手になるものはいないはずだ」

「勝てるとは到底思えないのだがね」

当のナシアスは苦笑している。

「だが、きみさえよければ手合わせしてもらいたいな。剣の試合は何十となく見たが、今のような決着は初めてだ。こうなると一剣士として、わたしも刃を交えてみたいのだが、どうだろう？」

少女は軽く肩をすくめたが、この率直さは気にいったようである。

「こっちの人たちってほんとにおもしろい」

そんなことを言って、今度はラモナ騎士団長と向かいあった。

少女は知らなかったが、ナシアスの剣術はその華麗な戦いぶり、勝ちぶりから、美技とまで呼ばれたものである。

力で押してくるガレンスとは違い、相手が巧者《こうしゃ》であればあるほど自身も力を発揮する。そういう型の剣士なのだ。

見物の騎士たちも、今度は先程のようにはいくまいと思った。実際、ガレンスの時とは違って、激しい剣戟《けんげき》になったのである。

二人の足さばき、剣さばきは眼にも止まらぬ速さだった。おっとりと温厚に見えたナシアスが剣士の血と精力のすべてを傾けて剣を揮っている。

これを受け止める少女も、うって変わった真剣な表情だ。見物している騎士たち、見習の少年たちに至っては言葉もない。皆、固唾を呑み、こぶしを握り締め、食いいるように試合に見入っている。

異様なくらい静まりかえったラモナ騎士団の砦に刃の鳴る音だけが激しく響いていた。ウォルもまた息を呑んで成り行きを窺いながら、これほどの試合は一生のうち幾度見ることができるか、と、密かに胸のうちで呟いていた。

しかし、ここでも少女の常道から外れた不思議な力が勝敗を決めた。

見た目は十三の少女の体なのに、獣のように素早く、柔軟で、しかも大男のガレンスを力で破るほどの剛力の持ち主なのである。

いかにナシアスが優れた剣客であり、豊富な実戦経験を持とうとも、こんな戦士を相手にしたことはなかったに違いない。

少女の足を封じるために眼にも留まらぬ速さで縦横に剣を繰り出していたのだが、それでも間を拾われた。

しまったと思い、飛びのいた時には遅かった。

ナシアスの足を遥かに上回る速度で少女は距離を詰め、防御にまわったナシアスの剣をからめ捕っていたのである。

次の瞬間には少女の剣がぴたりとナシアスの胸につきつけられていた。

ナシアスは素直に両手を広げて降参の意を示した。

しかし、息を荒くしたその顔は、悔しさよりも驚嘆の色に輝いている。

この少女の強さは本物だった。強敵といわれる相手と幾度となく戦ったナシアスだが、これほど鮮やかにしてやられた覚えはない。

目下のところナシアスが国一番の戦士と認めるのは他ならぬ国王なのだが、もしやすると王でさえ、分が悪いのではないかとさえ危ぶんだ。

少女は剣を引いて真顔になり、

「すごいね」

と言ったものである。

「すごい、とは？」

「強いよ。きみも、ガレンスも。ぼくが勝てたのはきみたちより体そのものが丈夫にできてるから。それだけだ」

「リィ」

これにはナシアスが苦笑して、

「わたしに気をつかってそんなことを言ってくれるのかな？」

「違う。本気で相手をしてくれてありがとうって、言いたかったんだ」

「わたしの言うことだよ。ありがとう。いい勉強をさせてもらった」

真剣に言われて、頭を下げられて、少女は照れくさそうに頭を掻いていた。意外そうな表情が顔にある。

ガレンスといい、ナシアスといい、ほんの小娘の自分に敗れたことを少しも憤慨せず、恥じることもなく、素直に力量を認めてくれている。

見ていたウォルは、それは、この少女には未知の喜びだったのだろうと思った。

今まで化け物呼ばわりしかされたことはないと少女は言いきった。能力を見せたら、ここの人々も自分を恐れ、異端視するはずだと頭から考えていたのだろう。

しかし、ナシアスもガレンスも、つまらない面子や固定観念などに重きはおかない人種である。

身分が低かろうと、歳が若かろうと、強いものは強いと素直に認めることができる。でなければデルフィニア西部一の実力集団と呼ばれはしない。

「ナシアスさまもしてやられましたか」

ガレンスがちゃかしたが、ラモナ騎士団長は真剣に頷いて言った。

「いや、陛下のおっしゃる通り、相手が人でないとなれば、わたしの剣術など通用しなくとも当たり前だ。わたしはむしろバルドウの娘と剣を交えられたことを喜ばしく思う」

横にいた騎士たちも熱心に頷いている。

今日の少女は昨日と同じ粗末な胴着姿ながら、見違えるような美しさだった。陽の光に煌めく髪を結い上げ、銀の宝冠を載せ、湯あみした肌は薔薇色の輝きにあふれている。まさしく軍神の娘というにふさわしい。

現に昨夜、体を洗い、髪を乾かした後の少女に出会った見張りの騎士は思わず言葉を呑み、その場に立ちすくんだくらいなのだ。

少女のほうはいつものことと気にも止めなかったが、男はおもしろそうに笑って言ったものだ。

「おまえはその顔で得をしたことはないというが、俺はそんなことはないと思うぞ。美しいということは、それだけで充分に力となりうるものだ」

「きれいな女の人ならたくさんいるじゃない」

「そうとも。だから彼女らは男を魅了する魔法が使える」

「魔法？　おもしろいこと言うね」

「分別も地位もある男が若い娘に惑わされるのを、俺は何度も見てきたからな。そのたびに女は怖いと身震いしたものさ」

「よく言うよ」

少女は呆れ顔である。

「それなら男にだって女の人を夢中にさせる魔法が使えるわけだ。ウォルなんか、いくらでも女の人を引っかけられそうじゃないか」

「今まで一人も引っかけられた試しはないがな」

真顔で言い返した男である。どうもこの王様は本当に艶話には縁がないようだ。

「俺の話ではない。おまえのことだ。当たり前の女ならば一人の男を魅了するだけの魔法が使えればいい。他の男には無効でも、自分が思いを寄せる男一人を夢中にさせることができればいい。しかし、おまえの場合はもっと大勢の人々を、もっと強力に引きつけることができる。間違いなく」

そう言われても少女は気のなさそうな様子だったが、男の考えは的を得ていたようである。

でなければこれほど鮮やかに騎士たちの心をつかみはしない。自分たちの団長と副団長が見ず知らずの相手に完膚なきまでに敗れたというのに、彼らは憤慨することなく、主を軽んじるでなく、素直に賞賛と畏敬の眼差しを向けているのだ。

「じゃあ、ぼくとウォルの二人だけでコーラルを目指しても構わないかな？」

すぐにも出発しようとする少女に、ナシアスが苦笑しつつ頷いた。

「できることならわたしも同行したいのだが……」

「それはだめだよ」

「だめだ」

男と少女が同時に言った。

「コーラルはすでに俺の帰国を知っている。ウィンザから逃れた俺がこのビルグナを目指すことくらい、やつらにもわかっているはずだ」

「そのうちここにコーラルから様子見のお使いがくる。その時に団長は不在ですじゃあ、怪しんでくれって言ってるようなもんだ」

口々に言う二人に、聞いていた騎士たちはなるほどと思ったのである。

ナシアスにもわかっていたことだが、あらためて感心した。この少女は確かに並ではない。

「だがね、リィ。ひとつ聞きたいのだが、先にコーラル城に捕えられている人たちを救出するときみは言ったが、兵隊も使わずにどうやって救い出すつもりなのかな？」

少女は答える代わりに、ぐるりと砦を囲っている壁を見上げた。

「ウォル。コーラルの城壁と、この壁とどっちが高い?」

「そうだな。同じくらいではないかな?」

それは大人の身長のたっぷり五倍はあろうかという壁だった。

近づいて壁を叩いている少女に、騎士団員たちも何をするのかと興味津々の眼つきで見ている。

「助走に使える距離はどのくらいとれる?」

「おまえ。飛び越えようというのか。これを?」

男は驚いた。

いくらこの少女の足でも不可能だと思った。ところが、少女は振り返るとあっさりと言った。

「確かに、ぼく一人じゃ無理だ。ウォル。踏み台やって」

「踏み台とは……、ここによつんばいになればいいのか」

大真面目に両手を突き出した王様にナシアスは額を押さえ、ガレンスは呻き声を上げ、その他大勢の騎士たちは真っ青になって止めにかかった。

「へ、陛下。お、お待ちください!!」

「そのようなこと、わたしが代わりにいたします!」

「いえわたしが！」

押しあいへしあいしながら、主君の身代わりになろうとした騎士たちだが、少女はよつんばいでは低すぎると注文をつけた。

「立ったまま、壁のほうを向いて両手をついて。肩を借りる」

「うむ。助走に使えるのはおまえの足でせいぜい十歩くらいだと思う」

「わかった」

言うが早いか、少女は十歩分下がると、勢いよく助走をつけ、男の肩を踏みつけにして飛び上がったのである。

騎士たちは皆、我が眼を疑った。

次の瞬間には少女は外壁の上に立っていた。

あり得ないことだった。この塀を越えるには少なくとも鉤爪のついた鎖縄か、二本繋ぎ合わせた梯子が必要なはずなのだ。

しかし、現実に少女は外壁の上に立っている。ほつれかかった金髪をそよ風になびかせて、笑顔で男たちを見下ろしている。

「大丈夫。越えられる」

と、今度はひらりと飛びおりて来た。

あの夜、ウィンザ城で男が眼にした光景そのままだった。落ちたりしたらただではすまない高さを、この少女は自由に跳ぶことができるのだ。

「とにかくこれで入ることはできるよ。出る時のことはまた何か方法を考えよう」

「確かに。おまえには越えられても、並の人間にはこの方法はまず無理だ」

「だろうね。それに肝心なのはフェルナン伯爵を助けることだ。他の人たちには改革派もすぐに命を奪うような手出しはできないと思う」

「同感だ。伯爵は罪人ということになっている。だから処刑を持ち出せる。しかし他のものは皆、長くデルフィニアに仕えた重臣だからな。蟄居を言いつけるのがせいぜいだろうよ」

のどかに話す主君と金髪の少女を見つめる騎士たちは、ものも言えないでいた。

自分の見たものが信じられなかったのだ。

ある騎士は、本当に軍神バルドウが娘を送ってくれたのかもしれないと思い、またある騎士は、デルフィニアは神の栄光に輝くのだとさえ感じたのである。

ナシアスもまた小さく祈りの言葉を呟き、バルドウに感謝を捧げ、水色の瞳を感動に潤ませて少女に話しかけた。

「陛下を、よろしくお願いする」

「まかせて。ぼくも見たいんだ。コーラルのお城で王冠をかぶったウォルをね」

ナシアスとガレンスがそろって力強く頷いた。

それこそ、彼らが何より我が眼にしたいと切望しているものだった。

「我らの国王にはバルドウの娘がついている。これからそう言って他の領主たちを説得にかかることにするよ」

ナシアスの言葉に、少女は可愛らしく首を傾げて笑ったものだ。

「ぼくは神様なんかじゃない。ちょっとばかり変わってはいても、ただの子どもだ。だから役に立てると思う。なにしろ人間の男ってば、女と子どもに弱いからね。今のぼくはその両方なんだから、コーラルにどれほど兵隊がいようと素通りできるさ」

「そうかな？」

「そうだよ」

少女は真顔で頷いて、

「頭からなめてかかって油断してくれるでしょ？　裏をかくのなんか簡単だよ」

これにはガレンスが複雑怪奇な顔になり、ナシアスは納得したように頷き、そしてウォルは小さく吹き出していた。

11

ドラ将軍の領地ロアはコーラルから北上すること三日、スーシャまでの旅程の半分ほどにある豊かな領地である。

野生馬の群棲地としても名高く、人の気風も闊達素朴。ロアの男たちは丈夫な農夫であると同時に生まれついての騎手であると自負するほどだ。

しかし、コーラルを出発した将軍は、行楽でもしているかのようにのんびりと馬の旅を続けていた。というよりもわざと歩みを遅くしているようだった。

屋敷内の主だった家来を連れ、コーラルを出発してから五日を過ぎても、全体の三分の二を消化したばかりである。通常の旅程の倍近くを費やしている計算になる。

故郷には家来たちの家族がいる。半年もの間、顔を見ていないのだ。皆、一刻も早く駆け戻りたいはずだが、主人の心境を思いやり、じっと堪えていた。

だが、従者の中でも若い者は主人の様子をいぶかしんでいるらしい。

「ご主人さまはいったい何を考えていらっしゃるのでしょう?」

そんなことをこっそりと上司に耳うちする者も出始めた。

「黙っておれ。将軍さまには将軍さまのお考えがあってのことだ」

「ですが今は一日も早くロアまで駆け戻り、ビルグナにいらっしゃる陛下と合流しなければならないはずです。お嬢さまのことが気がかりなのはごもっともですが、それとても、まずは軍備を整えねば、お嬢さまを救出することもかなわないではありませんか」

「言われるまでもないわ。そのくらいのことに気づかぬ将軍さまとでも思っているのか? 無駄口を叩く暇があったら見張りについておれ」

見張りといってもこの辺りには襲って来るような獣もいない。しかも緑の平地続きで見張らしは抜群である。いったい何を見張ればいいのかと首を傾げながら、若い従者はしんがりへ戻って行った。

これを叱りつけた古参の従者はやれやれと思いながらも脚を進め、主人と馬を並べる。

髭の将軍は忠実な腹心を横目で見やり、ぼそりと呟いた。

「すまんな。タルボ」

「なんの。たまには馬上にあって、のんびりと景色を眺めるのもようございます。この道を通る時はいつも、ひたすら殺気だって馬を飛ばしておりましたからな」

前回はあの内乱の時だった。コーラルでの異変を察し、将軍もタルボも彼らの主君を救うために、死に物狂いで馬を走らせた。

しかし、到着してみればコーラルはペールゼン率いる改革派に制圧され、国王の消息は不明、その後見役であり将軍の知人でもあるフェルナン伯爵は捕えられ、主だった国王派の人々はすべて権力を奪われての謹慎、将軍もその場で強制的に武装を解除された上、王宮内の屋敷に足止めを食ったのである。

屈辱というにもあまりある経験だった。ロアからはシャーミアンも呼びよせられ、厳重な監視の元での人質生活を強いられた。

将軍は今までどのくらい国王の無事を祈ったかわからない。

二年前までは友人の息子だった。女の子一人しか授からなかったドラ将軍は、友人の息子の性質のよろしさと人並みはずれた武勇を心から愛していた。お世辞抜きに自分もあんな息子が欲しかったと、伯爵に語ったこともある。

そんな時のフェルナン伯爵は息子の自慢をするでなく、得意そうな顔をするでなく、静かに礼を言うのみだった。

「なんだ。おぬし。人がせっかく誉めているのだから、もう少し嬉しそうな顔をしろ。まったく鳶が鷹を生むとはこのことだぞ」

拍子抜けした将軍が不満を漏らすと、伯爵は穏やかにおもしろそうに笑ったものだ。

「これよ、ドラ。よう言うものだわ。棚上げとはこのことだろうぞ。貴様とシャーミアンどのとが血のつながった父と娘とは誰が信じる？　せいぜい奥方に感謝することだ」

「おのれ。ぬかしよる」

笑いながら杯を酌《く》み交わした。あれはもういつのことになるのだろうか。

「だがな、フェルナン。おぬしはまったく果報者よ。ここだけの話、ご子息ほどの若者は都にもそうはおらん。そうとも、あの騎士バルロと立ちあっても引けは取らんかもしれんぞ」

確か、その時の伯爵は何ともいえない、嬉しそうな寂しそうな複雑な微笑を端整な顔に浮かべていた。

後にその笑みの意味を知った時、ドラ将軍は驚愕のあまり卒倒しそうになった。

フェルナン伯爵は旧知の友のドラ将軍にさえも、息子の素姓を話さなかったのだ。

後見役として宮廷にあがった伯爵と初めて顔を合わせた時、将軍は何も言えなかった。

何故打ち明けてくれなかったと責めればよかったのか。よくぞここまで前国王の遺児を守られたと言えばよかったのか。

伯爵も何も言わなかった。ただ、泣きはらした後のような赤い眼をして、じっと長年の友人を見つめるのみだった。

それ以上に悲しみにくれていたのが伯爵の息子である。二十二年間、父と呼んできた人に他人を言いわたされただけではない。その人が自分を主君と呼んで膝を折り、忠誠を誓うというのだ。

やめてくれ！　と、よほど叫びたかったに違いない。そんな心を充分知っていながら、ドラ将軍もまた友人の息子に対して膝を折った。

いや、もう友人の息子ではない。忠誠と剣を捧げる主君である。

父に続き『ドラ小父《おじ》さま』までの態度の豹変に、当の主君は唇を一文字に嚙み締めていた。

その悲しみを振りはらおうとしたのか、あるいは伯爵の今までの愛情に応えようとしたのか、若い国王は即位すると、がむしゃらに公務に身を入れ始めた。そうすることで他のことは考えまいとしたようでもあった。どんな小さな陳情にも耳を傾け、どんなささいな帳簿にも眼をとおし、自ら許認可を出した。

おそらくはそれがいけなかったのだとドラ将軍は思っている。

城のやっかいものとして飾っておくはずが、あの即席の国王は意外なほどに優秀で侮りがたい存在になった。どんな醜聞をも跳ねかえして前向きに物事にあたるだけの精神力と、不思議に人を引きつける力を持っていた。

名将に名政治家はいないとよくいわれる。敵をたたきふせる戦闘の才能と、敵を取りこみ折りあいをつけていく政治の才能は、まったく別のものだからである。

だが、ごくまれにはその両方の才能を備えた人物がいるのだ。

あの王はまさしくそれだった。

名政治家だった実の父と、温厚ながら武術の名人であった育ての父と、その両方のよいところを受け継いでいた。

王宮の事実上の支配者を目論むペールゼンが疎ましく思うのも当然である。しかし、その方法はあまりにも悪辣に過ぎた。

胸のうちで友人の名を唱える。

おぬしの息子は生きていたぞと、会うこともかなわない伯爵に檄《げき》を送る。

温厚に見えても頑固一徹の伯爵のことだ。例によってわたしに息子はいないと拒否してみせるのだろうが、自分以上に国王の無事を祈っていることを将軍は知っている。フェルナン伯爵はすでに半年の獄中暮しを強いられている。急がねばならなかった。若い従者が懸念するまでもなく、将軍の心はすでに故郷を通り越して、遥か彼方のビルグナに向いている。

思いきり馬に鞭を当て、ロアへ向かって全力で疾駆したい強烈な欲求と焦燥を、将軍は出発直後から懸命に抑え込んでいたのである。

そうするだけの理由があったのだ。後顧の憂いを絶つためにも、全霊を上げてあの男を支援するためにも、今は待たなければならなかった。

難しい顔で馬の背に揺られている主人にタルボが話しかけてきた。

「将軍さま。あまりご案じなさいますな」

「わしが何を案じているか、わかるのか?」

「だてに二十年お側にいるわけではありませんぞ。大丈夫。嬢さまはなまじの男なぞには決して引けを取らんお方です。今は間に合わないとしても必ずや、お一人でビルグナへやって来られるでしょう」

荒っぽい慰めに、将軍はかすかに笑顔を見せて頷いた。

ロシェの街道が近くなっていた。前方には半年ぶりに見るタウの巨大な姿がある。

街道を越えればロアまでは一日《いちじつ》の距離だ。

ここまで必要以上に時間をかけてやって来たが、やはり無理だったかと将軍が諦めの息を吐いた時、一行の後ろで従者が驚きの声を上げた。

「将軍さま、あれを！」

馬を止めて、将軍は今来た道を振り返った。

まっすぐにこちらを目指して駆けて来る馬がある。

馬上の人は見事な手綱さばきで、みるみる距離を詰めてくる。

将軍が破顔した。

従者たちも騎手に気づいて口々に声を上げた。

「まさか！」

「お嬢さま⁉」

途中どうして手に入れたのか、シャーミアンは馬を替えていた。鞍には水筒と食料を納めた袋を括りつけ、従者から取り上げた剣は抜き身のまま、あいかわらず帯に挟んでいる。

一行を認めたシャーミアンは、馬を走らせながら大きく片手を振ってみせた。それでも速度を緩めない。

一気に一行のもとまで走り抜き、わずか二日で父に追いついた令嬢は若い頬を汗で濡らし、瞳をきらきら輝かせながら父親に挨拶した。

「遅くなりました、父上」

「でかした！　シャーミアン!!」

太く笑い返した将軍はそれまでの鬱屈した態度をかなぐり捨てて、従者たちに活を入れた。

「よいか！　もはや一刻も猶予はならん！　今日中に駆けぬけるぞ!!」

タルボが満面の笑顔で言う。

「大手柄ですぞ。嬢さま！」

「シャーミアン。まだ走れるか？　無理ならば従者を一人おいていく。おまえは後から来い」

ここまで駆け続けのはずだが、シャーミアンは首を振った。

体の疲労など何ともない。半年もの間じっと待ち続けることしかできなかった苦痛に比べれば、何ほどのことでもない。

そんなことより、王国の正当な主人が今まさに彼らの助けを必要としているのだ。

さらには自分と同じようにあの男を案じていながら囚われの身に甘んじているしか

ない人々のことを思えば、一刻も早く駆けつけなければならなかった。

「大丈夫です。父上。参りましょう。あの方のもとへ！」

応えて一斉に雄叫びが上がった。

抑えに抑えられていたものが奔り始める。

さながら戦場を疾駆するかの勢いで彼らは地響きを立てていった。

解説

北上次郎

本の雑誌で「ティーンズノベル」の特集を組んだのは二〇〇一年の二月号だった。ティーンズノベルに詳しい大森望氏とみのうら両氏が初心者向けの十冊を選び（その選定の過程を対談として掲載することでティーンズノベルの現状の紹介にするという趣旨）、その結果選ばれたものを私が実際に読んでレポートするという特集だった。本の雑誌にはティーンズノベルの読者が少ないと思われるので、その読者代表となって私が実験台になるという企画である。もちろん私は言うまでもなく、ティーンズノベルの初心者である。小野不由美《おのふゆみ》の「十二国記」シリーズを読んだのも、第五部『図南《となん》の翼』が出たときで、あの大傑作を第五部が出るまで存在すら知らなかったのだから、恥ずかしい。つまり、そのくらいの初心者だ。読者代表としての資格は十分である。

そのとき、ティーンズノベルを両氏に五つ（プラス1）の傾向にわけてもらった。そのほうが初心者にはわかりやすいだろうとの編集部の判断である。そのとき選ばれた十冊（プラス1）を列記すると、一般小説よりの第一群の代表に選ばれたのは、高《たか》畑京一郎《はたきょういちろう》『タイム・リープ』ととみなが貴和《きわ》『EDGE《エッジ》』。もうちょっと不思議な第二群は、田中哲弥《たなかてつや》『やみなべの陰謀』と谷山由紀《たにやまゆき》『天夢航海』。古き良きジュブナイルとしての第三群は、岩本隆雄《いわもとたかお》『星虫』。現代ティーンズノベルの典型である第四群は、秋山瑞人《あきやまみずひと》『猫の地球儀』、上遠野浩平《かどのこうへい》『ブギーポップは笑わない』、古橋秀之《ふるはしひでゆき》『ブラッドジャケット』の三作。ファンタジーの第五群は、茅田砂胡『放浪の戦士』と須賀《すが》しのぶ『帝国の娘』。プラス1の極北としてあがったのは、神坂一《かんざかはじめ》『白魔術都市《セイルーン》の王子』。この十一作を両氏が選択して、私が実際に読むことになったのである。年末進行の最中に十一作を読まされるとはホント、キツイ企画だったが、職務とあれば仕方がない。

そのレポートの詳しい内容はここでは省略するけれど、両氏に「このあたりは初心者（特にファンタジーを苦手とする初心者）には辛いんじゃないかなあ」と言われた第五群の作品がいちばん面白かったことだけは書いておきたい。リアリズム小説しか受け付けないケースが多いおやじ読者にとって、この第五群のファンタジックな設定は辛いに違いないと、両氏は懸念したのかもしれないが、全然心配はないのである。物語にみなぎる躍動感が、おやじ読者の苦手（それを不必要な先入観と言い換えてもいい）を吹き飛ばすのである。意外な結果だが、意外ではなかったのである。須賀しのぶ『帝国の娘』もなかなかよかったが、茅田砂胡『放浪の戦士』がとにかくぶっ飛びものの快作で、大興奮。どうしてこんなに迫力あふれる物語を読んでこなかったのだ、と思ったほどの傑作だった。正直に書くと、小野不由美の「十二国記」シリーズは例外だろうと思っていた。ティーンズノベルの世界がいかに豊饒であったとしても、あんな傑作がそうそうあったのではたまらない。それほど世の中は甘くあるまい。そう考えていた。しかし、世の中は意外に甘いのである。傑作はまだあったのである。その事実に驚き、喜び、興奮してしまった。

『放浪の戦士』は、茅田砂胡の「デルフィニア戦記」の第一巻（ノベルス版刊行時のタイトル。文庫版では改題され『第Ⅰ部　放浪の戦士1』）である。このシリーズは全十八巻だ。それなのに第一巻を読んだだけで、私は「十二国記の興奮と金庸《きんよう》のダイナミズムを足して二で割らない小説なのだ」とまで、そのとき書いてしまった。この先の展開がどうなるのか続巻を読んでもいないのにそこまで断言するとは我ながら太い根性をしていると思うが、しかしこの第一巻の出来が落ちるはずがないという確信を抱いたのである。今回、この稿を書くために四巻までを再読してみたが（四巻でひとつの区切りとなっている）、その確信は再読しても揺るがない。すごいぞ。

ここではその四巻、つまり第一巻「放浪の戦士」、第二巻「黄金の戦女神」、第三巻「白亜宮の陰影」、第四巻「空漠の王座」（文庫版では『第Ⅰ部　放浪の戦士1～4』）までをざっとご紹介しよう。まず、シリーズの開幕ともいうべき「放浪の戦士」だが、刺客に追われる放浪の戦士ウォルと、異世界から飛び込んできたリィが出会うところから幕が開く。リィは少年なのだが、なぜか少女の体になっている。この謎はずっと続いていくが、それはともかく、紛れ込んだ世界ですることもないので、リィはウォルの旅についていくことになる。

「ここはぼくの世界じゃないし、自分の力では帰れない。となれば迎えが来るのを待ってるしかない」「なんでこんなところに落ちて来たのか、ぼくにはさっぱりわからない。なんでこんな体になっているのかもわからない。おまけにこの世界の右も左もさっぱりだ」「だから一緒に行く。他にできることはないし、行くところもない。それにここへ落ちて来て真っ先にきみと会った。きみが何と戦おうとしているのかは知らないけど、手伝うよ」というわけである。

リィが落ちてきた世界は、ウォルによって次のように説明される。「中央には大華三国。北方にいくつかの王国。中央下部から南にかけては小公国と南方諸国。アベルドルン大陸全土ではっきりわかっているだけでも二十の国々がある。小さな島国や地図の及ばない未開の土地まで含めると倍近くはあるのではないかな。そのすべてに頂点に立つ王がいる」

デルフィニアは大陸全土でも五本の指に数えられる強国で、ウォルはそのデルフィニアの王に選ばれながらも正統な血筋ではないとペールゼン侯爵に追われた身の上であること、さらに自分の育ての親であるフェルナン伯爵が難攻不落のコーラル城に軟禁されていることを知って、その救出に急いでいる途中であることなどが、すぐに明らかになる。

ようするに、これは一種の貴種流離譚だ。第四巻まではということだけど、古き良き冒険小説の王道をいく物語といっていい。だから、珍しくはない。しかし茅田砂胡はその舞台設定を念入りに作り上げるので、この貴種流離譚にどんどん引きずり込まれていく。王を追い払ったペールゼン侯爵がデルフィニア国の最高権力者になっているとはいっても、そのペールゼン侯爵を苦々しく思っている者、まだウォルを慕う者がいて、その筆頭がラモナ騎士団とティレドン騎士団。つまりデルフィニア国の軍隊はペールゼン侯爵に反旗を翻していないものの、心底ではウォル国王を信奉しているという構図がある。ラモナ騎士団長のナシアス、ティレドン騎士団長のバルロ、さらに王に味方したためにずっと蟄居させられているドラ将軍などの無骨な軍人たちが、かくてウォルの味方として登場する。第一巻「放浪の戦士」は、ドラ将軍の娘シャーミアンが「父上。参りましょう。あの方のもとへ」と言うシーンで終わっているが、この躍動感とともに大シリーズが開幕するのである。ここまで読めば、もう途中でやめられなくなる。

　この先をどこまで紹介していいのかどうか迷うところだが、ネタばらしにならないようにもう少し続ける。幼なじみでいまは山賊の副頭目をつとめるイヴンと再会すると、以後イヴンがウォルの旅に同行して重要な役を演ずるように、登場人物は巻を追うごとに次々に増えてくるが、その膨大な人物を自在に描き分ける作者の筆の冴えが見事。さらに、これは詳しく紹介できないけれど、侍従長ブルクスを登場させて王座奪回をめざすウォルの戦いをひねる構成もうまい。

　なによりもいいのは、リィの存在である。実はリィを登場させなくてもこの物語が成立することに留意したい。国を追われた王ウォル、ラモナ騎士団長のナシアス、ティレドン騎士団長のバルロなどだけでも、異世界の冒険譚として迫力ある物語になったろう。金庸ふうの血湧き肉躍る活劇小説として、それでも十分に堪能できる。では、なぜリィの存在が必要だったのか。

　ティーンズノベルだから十三歳の主人公が必要だったということではないはずだ。彼（彼女）の役割は、ウォルの数々の戦いを、人間離れした活躍で助けていくというだけではない。戦いのディテールにおいて、リィがウォルたちの硬直した思考を常に正していく役割であるとの側面を見たい。唐突ではあるけれど、ここにジャッキー・

チェンの話をはさみたい。スクリーンにおける彼の活劇の斬新さが、アクションの途中に常に何かが倒れてくる挿入物のドラマであることは言うまでもないが、つまりアクションを直線から円に転換することによってジャッキー・チェンの活劇は深みを増したのだが、それと同様のことがここにも言えそうな気がするのである。リィがいなくても、これは波瀾万丈の異世界伝奇小説として十分に堪能できるけれど、常識に縛られず自由に思考するリィがいて、より重層的な伝奇小説に成りえたのである。ティーンズノベルであることの必然性が物語に効果的にいかされているというアクロバットだ。

小野不由美の「十二国記」を、そして金庸の武俠小説をお好きな読者なら、迷わず手に取られたい。あなたの読みたい物語がここにあるはずだ。こういう迫力満点の血湧き肉躍る物語を、ティーンズノベルだからといって年少読者だけに読ませておくのはホント、もったいない。デルフィニア戦記、さあ、いよいよ開幕である。

本書は一九九三年十月に小社より刊行されたC★NOVELSファンタジア
『放浪の戦士　デルフィニア戦記1』を改題し文庫化したものです。

中公文庫

デルフィニア戦記《でるふぃにあせんき》
第Ⅰ部　放浪の戦士1《だい1ぶ　ほうろうのせんし1》

定価はカバーに表示してあります。

2003年1月25日　初版発行
2005年4月25日　3刷発行

著　者　茅田 砂胡《かやたすなこ》

発行者　早川 準一

発行所　中央公論新社　〒104-8320 東京都中央区京橋 2-8-7

TEL 03-3563-1431(販売部)　03-3563-3692(編集部)

Published by CHUOKORON-SHINSHA, INC.
URL http://www.chuko.co.jp/

本文・カバー印刷 三晃印刷　製本 小泉製本
ISBN4-12-204147-3　C1193　Printed in Japan
乱丁本・落丁本は小社販売部宛お送り下さい。送料小社負担にてお取り替えいたします。